Autora:
Gordana Vranic

A mi familia y, en especial, a mi sobrina Sandra con la esperanza de que un día se enamore de España y del español igual que lo hizo, en su día, su tía.

Ilustradores:
Alexandra Stojanovic
y Dejan Bogdanovic

Plaza Ciudad de Salta, 3 - 28043 MADRID - (ESPAÑA)
TEL.: (34) 914.165.511 - (34) 915.106.710
FAX.: (34) 914.165.411
e-mail: edelsa@edelsa.es - www.edelsa.es

Primera edición: 2004
Primera reimpresión: 2005
Segunda reimpresión: 2007
Tercera reimpresión: 2008
Cuarta reimpresión: 2009
Quinta reimpresión: 2010
Sexta reimpresión: 2011

Autora: Gordana Vranic
Ilustraciones: Alexandra Stojanovic y Dejan Bogdanovic

Dirección y coordinación editorial: Departamento de Edición de Edelsa
Diseño de cubierta: Departamento de Imagen de Edelsa

Diseño de interior: Departamento de Imagen de Edelsa
Maquetación de interior: Cuatricomía

Imprenta: EGEDSA
ISBN: 978-84-7711-599-1
Depósito legal: B-35501-2011
Impreso en España
Printed in Spain

ÍNDICE

Advertencia

En algunas "Frases hechas y dichos" de especial dificultad encontrarás un apartado, "Para utilizarla" que indica cómo se utiliza la frase. En ella hay un código de color que te ayudará a identificar la sintaxis de la misma:

- Están marcados en azul la terminación verbal, el sujeto y, en su caso, los pronombres de la frase para indicar la persona que realiza la acción.
- Están marcados en rojo el complemento directo y el indirecto, la persona o cosa en la que recae la acción.
- Están marcados en verde otros complementos preposicionales.

EXISTEN diversas formas a través de las cuales la sabiduría popular se expresa y se transmite.

Una de ellas es a través refranes o frases que normalmente suelen transmitirse de viva voz, precisamente como una expresión de ese saber profundo y ancestral de los pueblos que no necesita del soporte de la escritura – hoy diríamos, de la informática. Son toda esa serie de fórmulas y de dichos que conforman la vida de un país y sirven también como fórmula para conocerlo mejor.

Creo que los refranes y las frases son un camino muy certero para llegar a conocer la idiosincrasia de quienes los utilizan y los aplican, porque muchos de estos refranes tienen un verdadero sentido práctico para la vida cotidiana.

Como resultado de esto último ocurre también que los refranes y las frases se van modificando o desapareciendo, y otros se van añadiendo al acervo cultural e intelectual, lo que prueba la vitalidad de un idioma.

El empeño de la profesora Gordana Vranic y del equipo que ha dirigido, para recopilar refranes y dichos de las tierras de España, es muy loable porque el libro que tengo el honor de presentar a través de estas palabras es un acercamiento a la cultura de España y, sobre todo, a ese sustrato tan importante, como hablaba al principio de este prefacio, de la cultura popular.

Sirvan estas palabras como agradecimiento a la labor que ha desarrollado la Sra. Vranic, y todos los que han cooperado con ella, para acercar la sabiduría española al mundo y permitir el conocimiento de la vida diaria de las regiones de España.

Mariano García Muñoz

Embajador de España en Belgrado

Belgrado, 27 de noviembre de 2003

En mis años de experiencia como profesora de lengua española para extranjeros, he aprendido cuál es la importancia del uso y de la aplicación de las frases hechas, frases que pasan desapercibidas al hablante nativo, pero que para nosotros, profesores de esta lengua, corroboran cuán rica es esta bella lengua.

Es por ello que me doy cuenta de que aprender español es igual que "construir" una casa. Sus cimientos, siendo la estructura gramatical básica, deben asegurar nuestra "vivienda" para que no se derribe. Sus paredes, hechas de "ladrillos" como si de vocabulario se tratara, habrían de soportar el tejado para completarla. Pero, para llegar a ser un verdadero "hogar", tenemos que estudiar y aprender las frases hechas y dichos que representan su verdadera "decoración", "decoración" que en una casa crea ese ambiente ameno tan particular y distintivo; por lo que considero que el aprendizaje de las frases hechas y dichos, además de ser fundamental, es la parte más divertida, sin cuyo estudio el español no sería lo que realmente es: un idioma universal, un idioma rico y sobre todo, muy bello.

Sin embargo, esto que parece una sencilla tarea, se complica sobremanera a la hora de llevarla a la práctica. Este libro que presento es el reflejo de un proyecto de enseñanza ilustrativa que, para mí, es un acierto al ser el resultado de mis años de experiencia. Además en este libro, a través de dibujos representativos, acompañados de explicaciones del origen de cada frase y sus correspondientes ejercicios, encontramos las armas necesarias para cumplimentar esa bella "vivienda" a la que aspira el estudiante y al que va dedicado este libro.

Mi punto de partida es estudiar el español desde la mirada del estudiante y no desde la visión del profesor o profesora, a quien yo represento. El objetivo de este manual, por tanto, no es otro que "enamorar" al estudiante con el aprendizaje de las frases hechas, cuyo estudio aparece en la enseñanza de la lengua como secundario. No hay que olvidar que el español posee una riqueza inagotable de léxico y expresiones de la que quisiera presentar una parte de manera sencilla, pero del modo en el que a mí me hubiera gustado adquirirla.

Con la esperanza de conseguir los resultados esperados por ti, querido estudiante, me despido sin más dejándote abiertas las puertas de esta "vivienda" que quisiera que todos compartiésemos.

Agradecimientos

Especial agradecimiento al Embajador de España en Belgrado, el Excmo. Sr. D. Mariano García Muñoz, cuya ayuda y apoyo han sido muy valiosos para mí.

También quiero agradecer a todos mis amigos, colegas y alumnos por su apoyo incondicional y su interés. Todos ellos ocupan un lugar muy importante en la creación de este libro.

Pero este libro no habría sido posible sin la ayuda de un hombre muy especial para mí, un hombre muy aficionado a su trabajo y a su idioma, Óscar Cerrolaza, quien ha defendido mi proyecto desde el primer momento, entendiendo completamente mi idea. Gracias a él y a (me atrevo a decir ahora mi casa) la editorial EDELSA que tuvo confianza en mí y en mi idea, este libro pudo ver la luz del día. Emprendo esta nueva aventura esperando poder justificar su confianza.

La autora

FRASES HECHAS Y DICHOS

1. A OTRO PERRO CON ESE HUESO

Expresión con la que se rechaza algo como increíble.

¿Me dices que has visto a Antonio Banderas y que incluso has hablado con él? ¡A otro perro con ese hueso!

Otras expresiones similares:
Ni hablar.
Nanai.
A otro burro con esa albarda.

2. ABRIR LA MANO

Dar cierta libertad o ser más tolerante con alguien.

- *¿Qué tal el examen?*
- *Pues, bien. El profesor estuvo de buen humor y abrió la mano, de modo que todos aprobamos.*

Origen

La mano abierta es símbolo de generosidad. Por eso se puede decir que esta frase corresponde a la de disminuir el rigor o la dureza.

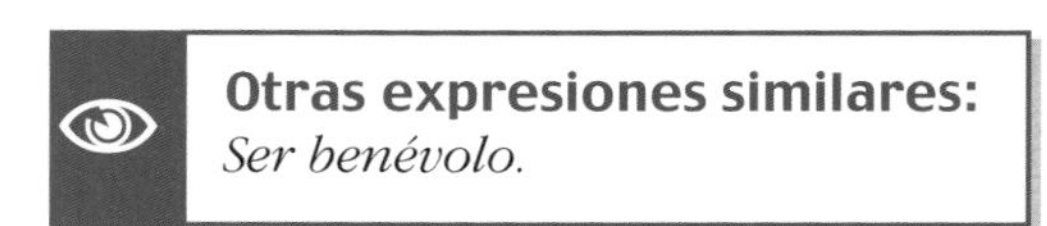

Otras expresiones similares:
Ser benévolo.

Para utilizarla:
Abrir alguien la mano.
El profesor ha abierto la mano y el examen no ha sido tan difícil.

3. ACOSTARSE CON LAS GALLINAS

Acostarse muy temprano.

- *Hombre, Miguel, te llamé anoche sobre las diez, pero tu madre me dijo que estabas dormido. ¿Por qué te acostaste con las gallinas?*
- *Porque el día anterior regresé a casa a las cinco de la madrugada y tenía mucho sueño.*

En las granjas se suele encerrar a las gallinas en el gallinero muy pronto para que así pongan huevos.

Para utilizarla:
Acostarse alguien con las gallinas.
Yo normalmente me acuesto con las gallinas.

4. AGACHAR LAS OREJAS

Una persona cede con humildad ante quien domina o muestra superioridad.

Alfonso presume de ser muy decidido, pero a la hora de tomar la decisión siempre termina agachando las orejas y su mujer es la que decide.

En situaciones de peligro o cuando han perdido una pelea, los perros y otros animales se van con las orejas bajas y el rabo entre las piernas.

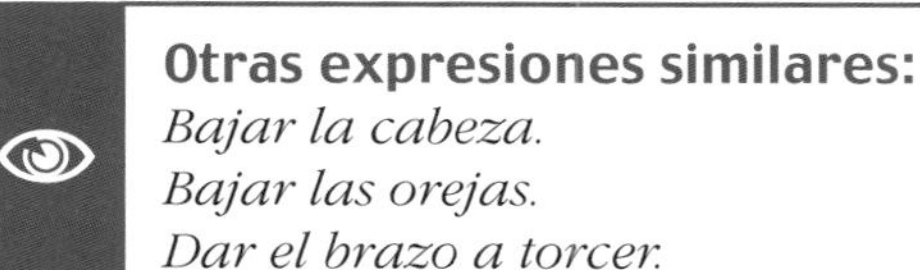

Otras expresiones similares:
Bajar la cabeza.
Bajar las orejas.
Dar el brazo a torcer.

Para utilizarla:
Agachar alguien las orejas.
Mira, o tú agachas las orejas, o tenemos que romper el equipo.

5. AGARRAR EL TORO POR LOS CUERNOS

Afrontar un problema y tomar una decisión enérgica y arriesgada.

Mi situación económica se pone cada vez más fea. Por eso decidí agarrar el toro por los cuernos y pedirle al jefe que me suba el sueldo.

Otras expresiones similares:
Coger / tomar el toro por los cuernos.

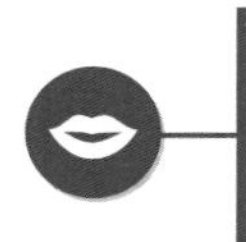

Para utilizarla:
Agarrar alguien el toro por los cuernos.
Tú siempre agarras el toro por los cuernos, eres muy valiente.

6. AGARRARSE A UN CLAVO ARDIENDO

Cuando una persona está en un apuro o en un peligro, es capaz de servirse de cualquier medio, por arriesgado que sea, para salvarse.

- *¿Por qué pides dinero a ese usurero?*
- *Porque todo me va mal. Estoy a punto de perder el trabajo, mi mujer me deja... así que estoy dispuesto a agarrame a un clavo ardiendo para salvarme.*

Origen

Durante la Inquisición, una prueba para demostrar la inocencia o culpabilidad de una persona era hacerle agarrarse a un hierro al rojo vivo. Si no se quemaba, era signo de inocencia, aunque no había posibilidad de que esto ocurriera.

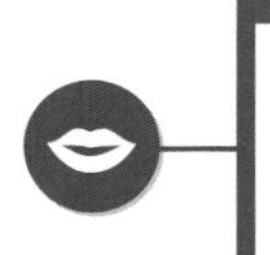

Para utilizarla:
Agarrarse alguien a un clavo ardiendo.
El jefe me dijo que lo hiciera así y, como no sé cómo hacerlo, yo me agarro a un clavo ardiendo.

7. AGUANTAR CARROS Y CARRETAS

Soportar momentos difíciles y cosas desagradables con paciencia.

Después de haber aguantado carros y carretas, por fin salieron de esa situación difícil y ahora todo les va mucho mejor.

Otras expresiones similares:
Aguantar lo que le echen.
Aguantar el tirón.

Para utilizarla:
Aguantar alguien carros y carretas.
María es muy trabajadora. Ella aguanta carros y carretas, lo hace todo.

8. AHÍ LE APRIETA EL ZAPATO

Se emplea cuando se descubre el punto más débil o cualidad negativa de alguien.

Últimamente Manuel me pregunta muy a menudo, así de paso, que si tengo dinero. Como yo sé de sobra que ahí le aprieta el zapato porque está en un apuro, no le hago caso ni contesto a esas preguntas suyas. No quiero prestarle ni un sólo euro.

Origen

Según parece, este antiquísimo dicho proviene de la obra de Plutarco *Vidas paralelas*. En ella se habla de un romano que repudió a su mujer sin razón evidente. Sus amigos se lo reprobaron, pero él les contestó comparando el caso con sus zapatos: dijo que sus zapatos eran de los mejores que había visto, pero que sólo él sabía dónde le apretaban.

Otras expresiones similares:
Ser el talón de Aquiles.
Ser el punto débil de alguien.

Para utilizarla:
Ahí le aprieta el zapato a una persona.
A la competencia le va mal la distribución. Ahí les aprieta el zapato a ellos.

9. AHOGARSE EN UN VASO DE AGUA

No saber reaccionar ante una situación que no es complicada o preocuparse demasiado por un peligro insignificante.

¡Hombre, Ricardo siempre te ahogas en un vaso de agua y no es para tanto! Una ventana rota se arregla en cinco minutos y no es para gritar como un loco.

Otras expresiones similares:
Agobiarse por nada.
Ver una tormenta en un vaso de agua.

Para utilizarla:
Ahogarse alguien **en un vaso de agua.**
Yo no me ahogo en un vaso de agua. Si hay un problema, busco la solución.

10. AL PIE DE LA LETRA

Creer lo que otra persona dice en sentido literal.

Si quieres aprobar el examen, debes seguir las instrucciones de tu profesor al pie de la letra.

Otras expresiones similares:
A pies juntillas.
Tal cual.

11. ALZARSE CON EL SANTO Y LA LIMOSNA

Apoderarse de lo propio y lo ajeno. "Alzarse con alguna cosa" significa apoderarse de ella con usurpación o injusticia.

Rafael se alzó con el santo y la limosna después de haber reunido todo el dinero destinado para la construcción de una nueva fábrica de productos químicos.

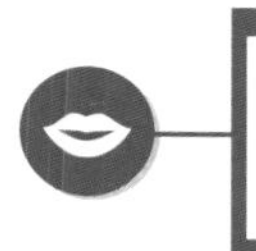

Origen

Se refiere a las personas que antiguamente iban pidiendo dinero de pueblo en pueblo y de casa en casa con una imagen de un santo. Recuerda el mal hacer de alguno de ellos que se llevaba (alzaba) la imagen y la limosna que había recogido.

Adaptado de *El porqué de los dichos*

Para utilizarla:
Alzarse alguien con el santo y la limosna.
No te alces tú con el santo y la limosna y da a cada uno lo que le corresponde.

12. ANDAR CON PIES DE PLOMO

Hacer algo con mucha cautela o prudencia.

En las conversaciones con esta gente hay que andar con pies de plomo porque están dispuestos a engañarnos para sacar beneficio.

Otras expresiones similares:
Ir con pies de plomo.
Andarse con cien ojos.
Andarse con cuidado.

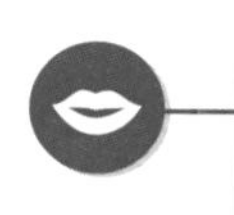

Para utilizarla:
Andar(se) alguien con pies de plomo.
Ándate tú con pies de plomo. La situación es complicada.

13. ANDARSE POR LAS RAMAS

Indica que una persona no va directamente al fondo de la cuestión, sino que se detiene en las cosas insignificantes.

Si te andas por las ramas, nunca resolveremos el problema. Sé directo y dime de qué se trata.

Otras expresiones similares:
Irse por los cerros de Úbeda.
No ir al grano.

Para utilizarla:
Andarse alguien por las ramas.
Si nosotros nos andamos por las ramas, no acabaremos nunca la reunión. Vamos al tema principal.

14. APRETARSE EL CINTURÓN

Indica que hay que reducir gastos, es decir, ahorrar y no gastar.

Mi marido perdió el trabajo y, a partir de hoy, tendremos que apretarnos el cinturón para sobrevivir hasta que encuentre otro.

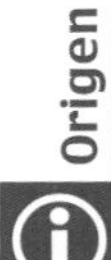

Origen

En época de dificultades económicas se gasta poco dinero porque se compra poco, incluso comida. De ahí la expresión, ya que, al no comer, se adelgaza y hay que apretarse el cinturón.

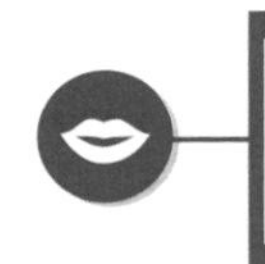

Para utilizarla:
Apretarse alguien el cinturón.
Si vosotros no os apretáis el cinturón, no vais a poder pagar el piso.

15. AQUÍ HAY GATO ENCERRADO

Se utiliza para indicar que hay algo oculto o sospechoso.

Siempre que encuentro a Cristina en la calle, trata de evitarme. Por eso pienso que aquí hay gato encerrado.

Origen

Según el *Diccionario* de la Real Academia el "gato", además de ser un animal, significa también bolso en que se guarda el dinero. En el siglo XVI y XVII se guardaba el dinero en bolsos que se hacían de piel de gato. En esa época a los ladrones se les llamaba también "gatos" por robar, precisamente, esos bolsos de gato.

16. ARMARSE HASTA LOS DIENTES

Proveerse mucho o muy bien de algo necesario.

No me sorprende que hubiera víctimas en el ajuste de cuentas de ayer entre dos bandos porque los dos se armaron hasta los dientes.

Para utilizarla:

Armarse alguien hasta los dientes.

Alex se armó hasta los dientes y fue a la reunión con todo tipo de informes que justificaban su punto de vista.

17. ARMARSE LA GORDA

Organizarse un gran lío.

Al ver el profesor lo que hicimos en la clase mientras él estaba ausente, se armó la gorda.

Origen

En el siglo XIX denominaban "La Gorda" a la revolución que se estaba preparando en Andalucía contra la reina Isabel II (1868), revolución que acabó finalmente con su reinado.

Otras expresiones similares:
Armarse la marimorena.
Armarse la de San Quintín.

Para utilizarla:
Armarse la gorda (la gorda es el sujeto y el verbo siempre va en la tercera persona de singular).

18. ARRIMAR EL ASCUA A SU SARDINA

Obtener beneficios propios de lo que normalmente debería ser un beneficio común.

A María, que no es la mejor de la clase, ni mucho menos, le han dado una beca. Claro, su padre es el decano de la universidad. Aquí cada uno arrima el ascua a su sardina.

Origen

Quien arrima más el ascua a su sardina tiene su sardina antes asada. Parece que la frase proviene de Andalucía donde los trabajadores que solían trabajar en los cortijos recibían sardinas como recompensa a su trabajo. Y, como necesitaban un fuego donde asar su sardina, se peleaban por las ascuas.

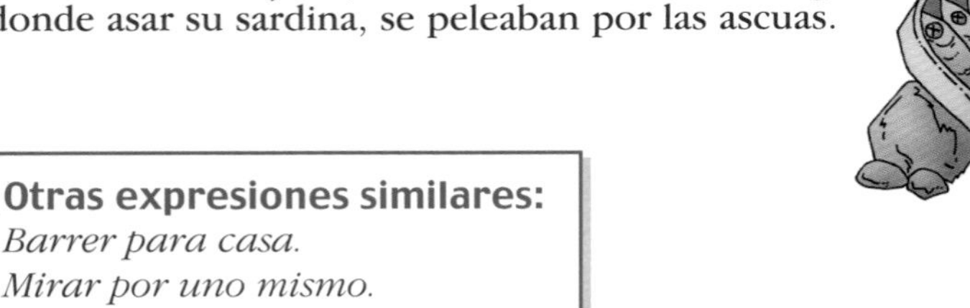

Otras expresiones similares:
Barrer para casa.
Mirar por uno mismo.

Para utilizarla:
Arrimar alguien el ascua a su sardina.
Oye, siempre arrimas tú el ascua a tu sardina. Deberías compartir las cosas.

19. ATAR CABOS

Reunir datos o ideas sueltas para sacar una conclusión o saber la verdad de algo oculto.

Nadie me quiso decir la verdad pero yo, después de haber preguntado, empecé a atar cabos y por fin supe quien me había engañado.

Otras expresiones similares:
Desenredar la madeja.

Para utilizarla:
Atar alguien cabos.
Todo se descubrió, porque el policía ató cabos y dio con el culpable.

20. ATAR LA LENGUA

Impedirle a alguien que diga algo.

No trates de atarme la lengua. Tu hermano me ofendió y yo se lo voy a decir sin reparos. Si se enfada, que se enfade. Me da igual.

Otras expresiones similares:
Cerrar la boca.

Para utilizarla:
Atar alguien la lengua a otra persona.
Miguel nos ató la lengua a Asun y a mí para que no te dijéramos nada de sus planes. Por eso no te los contamos.

21. ATAR LOS PERROS CON LONGANIZAS

Suele emplearse en sentido negativo para indicar a alguien que no se haga ilusiones.

Unos amigos míos quieren ir al extranjero a trabajar porque piensan que allí ganarán más. Yo les digo que allí no se atan los perros con longanizas y que se queden aquí donde ya tienen una vida bastante buena.

Origen

Según parece la frase proviene de un pueblo de Salamanca donde vivió a finales del siglo XIX don Constantino Rico, propietario de una fábrica de embutidos. Una vez a una de las obreras se le ocurrió atar con una larga ristra de longaniza a un perrillo. Un hijo de otra obrera vio al perro y, al salir, les contó a sus amigos que en casa de don Constantino ataban los perros con longaniza. Así se aumentó su fama de rico.

Otras expresiones similares:
Ser Jauja.
Empedrar el suelo con huevos fritos.

Para utilizarla:
Atar los perros con longanizas (normalmente el verbo va en la tercera persona de plural).

22. BAILAR CON LA MÁS FEA

Tocarle a alguien la tarea que nadie quiere por ser la más desagradable.

Yo veo que en esta casa a mí siempre me toca bailar con la más fea. Si nadie quiere fregar los platos, me toca a mí, si nadie quiere limpiar la casa, me toca a mí. ¡No es justo!

Otras expresiones similares:
Apechugar con la más fea.
Tocarle la china (piedrecita).

Para utilizarla:
Bailar alguien con la más fea.
La pobre María siempre baila con la más fea y hace los peores trabajos.

23. BAJAR LA CABEZA

a. Obedecer una orden sin replicar.
b. Sentir vergüenza.

a. Antonio es el dueño de la empresa y tenemos que bajar la cabeza y hacer lo que nos diga.
b. Al ver lo que hizo, bajó la cabeza y se disculpó con nosotros.

Origen

El gesto de inclinar la cabeza es signo de respeto y sumisión ante alguien superior.

Otras expresiones similares:
Agachar las orejas.
Dar el brazo a torcer.

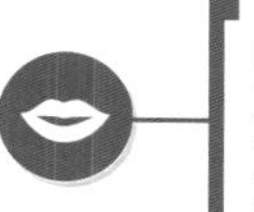

Para utilizarla:
Bajar alguien la cabeza.
Te aconsejo que, cuando hables con el jefe, bajes tú la cabeza y aceptes sus ideas.

24. BAUTISMO DE FUEGO

La expresión se aplica entre los militares para decir que una persona participa por primera vez en el combate. También se puede aplicar a la primera vez que una persona realiza algo difícil y peligroso.

- *¿Por qué Miguel está tan asustado?*
- *Porque mañana empieza a trabajar en una empresa multinacional.*
- *Hombre, no lo sabía. Espero que pase ese bautismo de fuego. Se merece un buen puesto.*

Origen

La frase parece tener su origen en los tiempos de la Reconquista cuando las tropas cristianas celebraban una misa y el bautizo de los no bautizados antes de entrar en combate.

25. BEBER LA SANGRE

Con esta frase se indica que alguien siente mucho odio hacia otra persona y quiere vengarse de ella.

No sé que le hice al jefe. No deja de beberme la sangre.

Para utilizarla:
Beberle alguien la sangre a otra persona.
Me caen tan mal, que yo les bebo la sangre a Raúl y Mabel.

26. BESAR EL SUELO

Caerse al suelo de bruces.

Iba con la bicicleta y, como el suelo estaba mojado, al girar, perdí el equilibrio y besé el suelo.

Otras expresiones similares:
Morder el polvo.

Para utilizarla:
Besar alguien el suelo.
Mira que mal va. Seguro que hoy Andrés besa el suelo.

27. BUSCAR LAS COSQUILLAS

Indica que una persona busca el modo de irritar a otra, es decir, busca su punto vulnerable para conseguir algo.

Te advierto que me dejes en paz y que no me busques las cosquillas. Estoy muy nerviosa y no quiero que me molesten.

Otras expresiones similares:
Buscarle las vueltas a alguien.
Buscar camorra.
Pedir guerra.

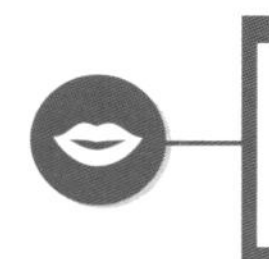

Para utilizarla:
Buscarle alguien **las cosquillas** a otra persona.
Yo le busqué las cosquillas a María, pero no conseguí que reaccionara.

28. CAER CHUZOS DE PUNTA

Llover mucho y muy fuerte.

Ayer no pudimos ir al cine por una tormenta horrorosa. Caían chuzos de punta y parecía que nunca iba a parar.

Origen

Se dice que caen chuzos de punta cuando llueve mucho, muchísimo; cuando cae esa lluvia ruidosa y dura, casi espesa y puntiaguda como chuzos. El chuzo es un palo o bastón con un pincho de hierro que se usa como arma de defensa o de ataque.
Adaptado del *Diccionario de dichos y frases hechas*

Otras expresiones similares:
Llover a cántaros.
Llover a mares.

29. CAER EN LA CUENTA

Notar, entender o percatarse de algo que no sabíamos antes. Decimos que "alguien cae en la cuenta" cuando descubre algo por sí mismo.

Ella nunca sabe lo que está pasando. Pero, cuando cae en la cuenta, ya es tarde y es inútil sorprenderse y enfadarse.

Origen

Literalmente, se refiere a la operación matemática. Es decir, descubrir un error en la suma, por ejemplo.

Otras expresiones similares:
Darse cuenta.

30. CAERSE DE UN GUINDO

Se utiliza en sentido irónico para dar a entender que alguien no se cree una mentira y que no se le puede engañar tan fácilmente ya que tiene mucha experiencia.

Eduardo me dice que el mes que viene va a vivir a Montecarlo y eso que no tiene ni un céntimo. Éste se cree que me he caído de un guindo.

Otras expresiones similares:
Chuparse el dedo.
Acabar de nacer.

Para utilizarla:
Caerse alguien de un guindo.
¡Eh! Que yo no me he caído de un guindo, no me cuentes historias.

31. CAERSE DEL BURRO

Significa reconocer su error o falta, convencerse de algo. En la mayoría de los casos se utiliza en forma negativa.

Es tan terco que, aunque vea que no tiene razón, no lo dirá hasta que no se caiga del burro.

Origen

Parece que la frase tiene su origen en una historieta antigua cuyo protagonista decía que jamás se caería de su burro, hasta que se cayó un día.

Otras expresiones similares:
Bajarse del burro.
Apearse del burro.

Para utilizarla:
Caerse alguien del burro.
Eres tan terco que (tú) no te caes del burro nunca.

32. CAERSE DEL NIDO

Ser muy ingenuo o mostrar ignorancia de una cosa muy conocida por todos.

¿Te has caído del nido? Roberto y Cristina se separan. Lo sabe todo el mundo, menos tú.

Otras expresiones similares:
Caerse de la cuna.

Para utilizarla:
Caerse alguien del nido.
Mira, parece que Alberto se ha caído del nido. No se entera de nada.

33. CAÉRSELE LA CASA ENCIMA

Encontrarse a disgusto en casa, sentirse agobiado y querer salir.

Cuando llevo muchas horas estudiando en casa, se me cae la casa encima y tengo que salir a tomar el aire.

Otras expresiones similares:
Subirse por las paredes.

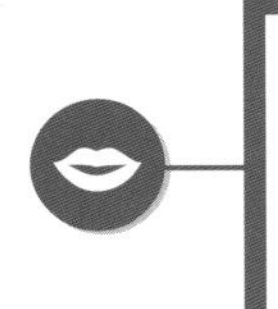

Para utilizarla:
Caérsele a alguien la casa encima (la casa es el sujeto y el verbo va en la tercera persona del singular).
Como no puede salir desde hace meses por su enfermedad a María se le cae la casa encima.

34. CAÉRSELE LOS ANILLOS

Frase familiar que se usa más en forma negativa y como forma de reproche a alguien por no hacer algunas cosas que las considera que están por debajo de su nivel (estatus social, económico, laboral, etc.).

Por favor, deja de mirarme y ayúdame a bajar la basura y a tirarla al contenedor. No se te van a caer los anillos.

Para utilizarla:
Caérsele a alguien los anillos (como el sujeto –los anillos- va en plural el verbo también va en la tercera persona del plural).
A mí no se me caen los anillos por nada. Ven que te ayudo.

35. CAJÓN DE SASTRE

Conjunto de cosas o de personas heterogéneas y desordenadas.

Recoge tu habitación porque parece un cajón de sastre. Todo está desordenado y tus amigos están a punto de llegar.

Origen

La frase proviene literalmente de un cajón de sastre donde hay de todo: hilos, agujas, botones, etc.

36. CAMBIAR DE CHAQUETA

Cambiar de ideas por interés personal especialmente si son ideas políticas. A la persona que actúa de esta manera se le llama "chaquetera". Antiguamente se decía "volver la casaca".

Ese tío no es de mucha confianza. Cada dos por tres cambia de chaqueta. Antes era socialista, luego, demócrata y ahora es del partido que gobierna.

Origen

Parece que la frase tiene origen militar. Cada ejército tenía la casaca o túnica de un color para distinguirse de los otros. Pero las túnicas y casacas estaban forradas con tela de otro color. Para engañar al enemigo, para salvarse en determinados momentos o para cambiar de partido, aunque fuera sólo en apariencia, daban la vuelta a la túnica o casaca según les convenía.

Otras expresiones similares:
Cambiar de camisa.
Ser un chaquetero.

Para utilizarla:
Cambiar alguien de chaqueta.
Tú siempre cambias de chaqueta. Eso no puede ser. Mantén tus ideas.

37. CANTARLE LAS CUARENTA

Regañar a alguien o decirle lo que se piensa de él: decirle las verdades a la cara.

Si tuviera a alguien que le cantara las cuarenta, no se comportaría así, como si todo el mundo fuera suyo.

Origen

Parece que el origen está en un juego de cartas muy popular, el Tute. Cuando alguien tiene un rey y un caballo del mismo color, canta las cuarenta y gana varios puntos.

Para utilizarla:
Cantarle alguien las cuarenta a otra persona.
Mira, Luis, te voy a cantar las cuarenta. No me gusta como estás actuando.

38. CARGARLE EL MOCHUELO

Tocarle a alguien la parte más dura o una culpa que no le corresponde.

No es justo. Tú siempre eliges las cosas más fáciles y a mí me cargas con el mochuelo: preparar el informe, escribirlo a máquina y soportar los sermones del jefe si algo falla.

Origen

Parece que la expresión tiene su origen en un cuento popular que dice que un soldado gallego y un mozo andaluz llegaron una noche a una posada y pidieron la cena. Les dijeron que no tenían más que una perdiz y un mochuelo, que no era comestible. Pero el mozo dijo que se los trajeran y que ellos se las arreglarían. Entonces el andaluz dijo al gallego: "Elige: o tú te comes el mochuelo y yo me como la perdiz, o yo me como la perdiz y tú te comes el mochuelo". El gallego resignado le dijo: "No sé por qué me parece a mí que me va a tocar cargar con el mochuelo."
Adaptado de *Diccionario de dichos y frases hechas*

Otras expresiones similares:
Cargar con el muerto.
Tocar la china.
Bailar con la más fea.

Para utilizarla:
Cargarle alguien el mochuelo a otra persona.
Tú siempre me cargas el mochuelo a mí.

39. CAZAR ALGO AL VUELO

Entender algo con rapidez. Comprender algo que no se ha explicado de una manera clara.

Esta chica es muy lista. Caza las cosas al vuelo, así que ten cuidado con lo que dices.

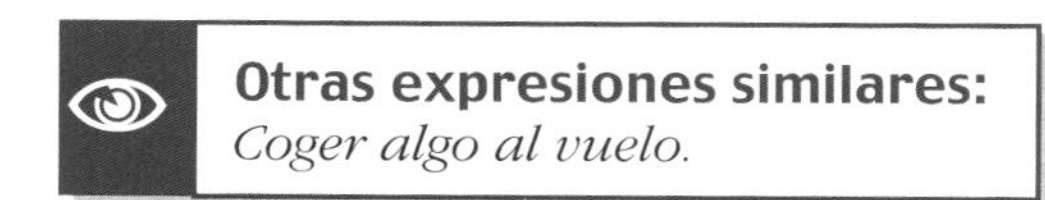

Otras expresiones similares:
Coger algo al vuelo.

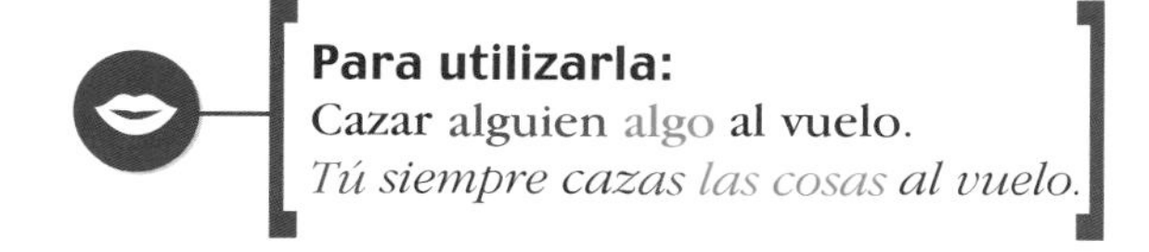

Para utilizarla:
Cazar alguien algo al vuelo.
Tú siempre cazas las cosas al vuelo.

40. CHUPARSE EL DEDO

Se emplea normalmente en forma negativa e indica no ser tonto o ingenuo, no dejarse engañar.

No pienses que le puedes engañar. El chico es inteligente y no se chupa el dedo.

Origen

Proviene de la costumbre de algunos bebés de chuparse el dedo.

Otras expresiones similares:
Caerse de un guindo.
Caerse del nido.

41. COMO CAÍDO DEL CIELO

Aparecer una persona o una cosa cuando más falta hace.

Como estaba en una situación muy mala y sin dinero, esta herencia me vino como caída del cielo.

Origen

Parece ser que el origen es el relato bíblico del "Maná caído del cielo" relatado en Éxodo XVI, 31.

Otras expresiones similares:
Como llovido del cielo.
Como agua de mayo.

42. CON EL CORAZÓN EN LA MANO

Hablar o actuar con toda sinceridad.

Mi mejor amigo es una persona muy cerrada y no habla mucho. Pero ayer, después de cenar, me habló con el corazón en la mano.

Otras expresiones similares:
Con el alma en la mano.

43. CON LAS MANOS EN LA MASA

Sorprender a alguien en el mismo momento en que está haciendo algo, por lo general, malo.

El abogado no puede hacer mucho por sus clientes ya que la policía les pilló con las manos en la masa.

Otras expresiones similares:
In fraganti.

44. CORTAR EL BACALAO

Frase familiar que se utiliza para identificar a quien da órdenes o manda en un lugar.

Como mi padre viaja mucho, mi madre es la que corta el bacalao en nuestra casa.

Origen

Antiguamente el bacalao seco se partía en las pescaderías con una cuchilla afiladísima, una especie de guillotina para la que se necesitaba fuerza y destreza para utilizarla: de ahí que quien lo cortaba fuera el jefe o el encargado.
Adaptado de *Diccionario de dichos y frases hechas*

45. CRUZAR EL CHARCO

Atravesar el océano, especialmente el Atlántico.

Los jóvenes de hoy sueñan con cruzar el charco porque piensan que en América encontrarán una vida buena y cómoda.

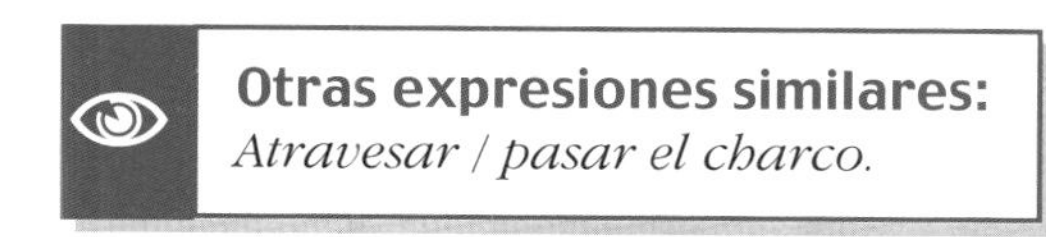

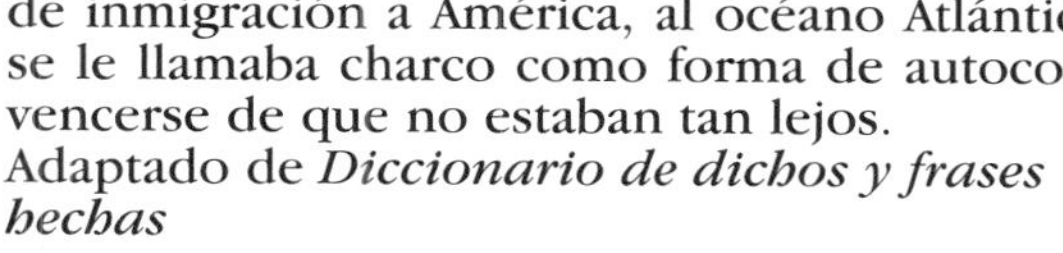

46. CRUZÁRSELE LOS CABLES

Sufrir una confusión momentánea, perder el control.

Oye, no te enfades conmigo. No quería decirle a Carmen lo de su novio. Pero en un momento se me cruzaron los cables y le conté lo que quería ocultar. No sé qué me pasó.

Origen

Si en una máquina se cruzan los cables, se produce un cortocircuito y deja de funcionar. Los cables son los nervios de una persona.
Adaptado de ***Diccionario de dichos y frases hechas***

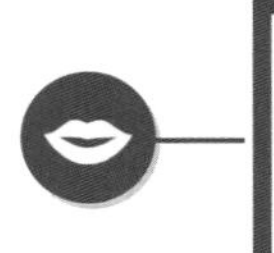

Para utilizarla:
Cruzársele los cables a alguien (como el sujeto "los cables" es plural el verbo va en tercera persona plural).
A mí se me cruzaron los cables.

47. CUANDO LAS RANAS CRÍEN PELO

Expresión que se utiliza para indicar que algo no va a ocurrir nunca.

- *Paco me prometió devolverme el dinero en un mes. Pero pasaron seis meses y todavía no me lo ha devuelto.*
- *Me parece que te lo va a devolver cuando las ranas críen pelo.*

Otras expresiones similares:
Cuando las vacas vuelen.

48. DAR CALABAZAS

a. No superar un examen, es decir, suspender o ser suspendido en un examen.
b. Rechazar a alguien en sus pretensiones amorosas.

a. Ayer me dieron calabazas en el examen de química. Pero era de esperar porque no me había preparado bien.
b. Sabes, esa chica rubia me intriga cada vez más. Siempre que le invito a salir conmigo, me da calabazas.

Origen

La calabaza es símbolo de lo que no vale nada, de algo que es de poca estima entre la gente.

Para utilizarla:
Darle alguien calabazas a otra persona.
Sandra me ha dado calabazas a mí.

49. DAR CON LA PUERTA EN LAS NARICES

a. En sentido literal, cerrarle la puerta a alguien en su misma presencia.
b. En sentido figurado, no prestar ayuda a alguien.

a. Cada día llaman a mi puerta más vendedores. Ya estoy harta. La próxima vez, les voy a dar con la puerta en las narices.
b. Le he pedido ayuda y me ha dado con la puerta en las narices.

Otras expresiones similares:
Cerrársele a alguien todas las puertas (en sentido figurado).

Para utilizarla:
Darle alguien a una persona con la puerta en las narices.
Cuando no era famoso, todo el mundo me daba con la puerta en las narices.

50. DAR GATO POR LIEBRE

Engañar a alguien, especialmente en una transacción comercial, vendiéndole algo diferente de lo solicitado, normalmente de menor calidad.

En la tienda de enfrente ayer me dieron gato por liebre. Me vendieron una carne estropeada y, además, me la cobraron carísima.

Origen

Hace muchos años era normal vender gatos en vez de conejos o liebres porque su parecido era tan grande que ni los mejores conocedores de la carne eran capaces de distinguirlos.

Otras expresiones similares:
Vender gato por liebre.
Dársela con queso.

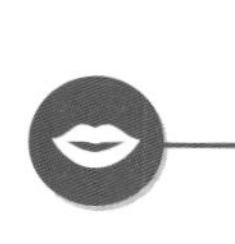

Para utilizarla:
Darle alguien a otra persona gato por liebre.
A Isabel el vendedor le ha dado gato por liebre: se ha comprado un piso y resulta que tienen que hacer obras en el edificio.

51. DAR JABÓN

Adular a otra persona, normalmente para conseguir algún beneficio.

Paco se pasa el día dándole jabón al jefe para que le ascienda.

Origen

Probablemente esta expresión tiene relación con una vieja costumbre, la de dar jabón a las ruedas o cuerdas de las máquinas para que funcionaran mejor. El mismo resultado se consigue cuando alguien adula a otra persona.

Otras expresiones similares:
Dar coba a alguien.
Dar betún a alguien.
Hacerle la pelota a alguien.

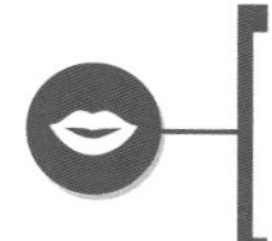

Para utilizarla:
Darle alguien jabón a otra persona.
Tú dale jabón al profesor, ya verás como te aprueba.

52. DAR LA LATA

Fastidiar, molestar a alguien.

No me des más la lata. Te voy a comprar esas zapatillas, pero con la condición de que me dejes en paz.

Origen

Existen diferentes explicaciones sobre el origen de esta expresión. Una de ellas alude a las cencerradas, costumbre que consistía en disfrazarse y tocar cencerros, o bien arrastrar y dar golpes a latas vacías por las calles de los pueblos, sobre todo en Navidad o Carnaval.

Otras expresiones similares:
Dar el latazo.
Dar la paliza.
Dar la vara.
Dar la tabarra.
Dar la murga.

Para utilizarla:
Darle alguien la lata a otra persona.
Luis está dándoles la lata a sus padres para que le dejen ir de acampada con sus amigos.

53. DARSE CON UN CANTO EN LOS DIENTES

Conformarse con algo, aunque sea malo, porque es mejor de lo esperado.

Como no he estudiado mucho, si apruebo tres exámenes puedo darme con un canto en los dientes.

Origen

Aunque su origen es incierto, esta expresión puede estar relacionada con la costumbre de la penitencia. Algunos pueblos se azotaban o se golpeaban con piedras para dar las gracias a sus dioses por los favores que recibían o para manifestar su dolor.

Otras expresiones similares:
Darse con un canto en el pecho / los pechos.

Para utilizarla:
Darse alguien con un canto en los dientes.
Aunque no sea el mejor trabajo del mundo, yo en tu situación me daría con un canto en los dientes si lo consiguiera.

54. DEVOLVER LA PELOTA

Responder a lo que una persona hace o dice de la misma manera o con una acción semejante.

Lo que me hizo Juan es inadmisible, pero yo no pienso estar con los brazos cruzados. Le devolveré la pelota en cuanto pueda.

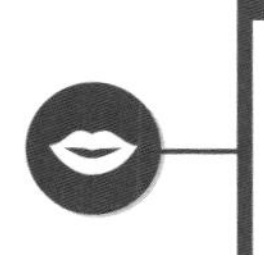

Para utilizarla:
Devolverle alguien la pelota a otra persona.
Quería que yo hiciera su trabajo y le he exigido que haga el mío. Yo le he devuelto la pelota a José.

55. DORMIRSE EN LOS LAURELES

Dejar de esforzarse después de haber logrado algún triunfo o éxito.

Después de haber terminado mi última novela y de haber cosechado mucho éxito con ella, ahora puedo dormirme en los laureles por algún tiempo.

Origen

En la Antigüedad a los emperadores, generales victoriosos y poetas se les coronaba con guirnaldas de laurel como reconocimiento por sus triunfos. Si después el coronado dejaba de esforzarse, se decía que se "dormía en los laureles".

Otras expresiones similares:
Dormirse en las pajas.

Para utilizarla:
Dormirse alguien en los laureles.
Yo me he dormido en los laureles. Después de ser el subdirector de mi departamento, no he hecho nada y, por eso, han nombrado a otro director.

56. ECHAR BALONES FUERA

Tratar de evitar una situación comprometedora.

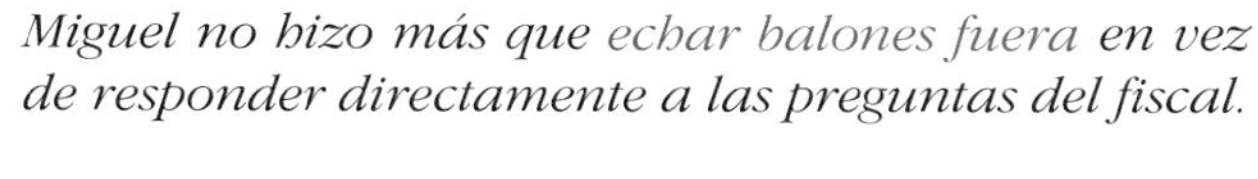

Miguel no hizo más que echar balones fuera en vez de responder directamente a las preguntas del fiscal.

Origen

Esta expresión puede estar relacionada con el fútbol. Cuando un equipo quiere ganar tiempo, bien porque se sienta acosado, bien porque esté venciendo, emplea la táctica de lanzar el balón lo más lejos posible o incluso mandarlo fuera del campo.

Otras expresiones similares:
Tirar / Lanzar balones fuera.
Cargar el mochuelo.

Para utilizarla:
Echar alguien balones fuera.
Tú siempre echas balones fuera, nunca te enfrentas a los problemas.

57. ECHAR EL GANCHO

Seducir o capturar a alguien.

Le echó el gancho al hermano de Ignacio el año pasado y este año se casan.

Otras expresiones similares:
Tirar / Lanzar el anzuelo.
Engatusar.

Para utilizarla:
Echarle alguien el gancho a otra persona.
La policía le ha echado el gancho al falsificador de billetes más buscado del país.

58. ECHAR EL GUANTE

Atrapar, apresar a alguien.

La semana pasada unos atracadores robaron un banco, pero la policía les echó el guante cuando escapaban.

Para utilizarla:
Echarle alguien **el guante** a otra persona.
Por fin la policía le ha echado el guante al ladrón que me robó en casa.

59. ECHAR LEÑA AL FUEGO

Hacer intencionalmente más grave una situación ya de por sí complicada.

Por favor, no les digas a mis padres lo de mis exámenes. Ya están enfadados conmigo por haber suspendido dos y, comentándolo, sólo vas a echar leña al fuego.

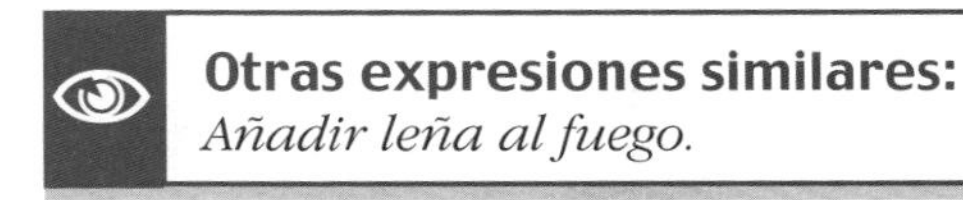

Otras expresiones similares:
Añadir leña al fuego.

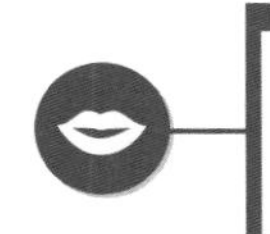

Para utilizarla:
Echarle alguien leña al fuego.
Antonio le echó leña al fuego y consiguió que Bárbara y Juan Carlos se pelearan.

60. ECHAR MARGARITAS A LOS CERDOS

Ofrecer cosas valiosas o delicadas a alguien que no sabe apreciarlas o no tiene suficiente preparación para disfrutarlas.

Le regalé a Ana por su cumpleaños un reloj muy caro y muy bueno, pero fue como echar margaritas a los cerdos: ni siquiera conocía la marca.

Esta frase tiene su origen en la Biblia. Según San Mateo la pronunció Jesucristo, pero en lugar de "margaritas" en la versión original aparece la palabra "perlas". Después, San Mateo tradujo al griego "margaritas" con el sentido de perlas.

Para utilizarla:
Echar alguien margaritas a los cerdos (se suele utilizar en Infinitivo).
Tú échale margaritas a los cerdos, que te va a dar igual.

61. ECHAR SAPOS Y CULEBRAS (POR LA BOCA)

Insultar, decir palabrotas, maldecir.

Cuando le dijeron que no le habían concedido ningún premio por su novela, empezó a echar sapos y culebras.

Es probable que esta expresión provenga de la iconografía religiosa, concretamente de los "marginalia": pequeñas imágenes de reptiles y otros animales que se dibujaban en los márgenes de los manuscritos y representaban la blasfemia.

Otras expresiones similares:
Escupir / soltar sapos y culebras.

Para utilizarla:
Echar alguien sapos y culebras (por la boca).
Tú siempre echas sapos y culebras, pero a la hora de actuar te quedas de brazos cruzados.

62. ECHAR UN CAPOTE

Ayudar a alguien que está en una situación complicada o en un apuro.

Durante la representación a Julián se le olvidó el texto. Menos mal que Mariano estaba allí: le echó un capote y salvó la obra.

Origen

La frase proviene del lenguaje taurino donde "echar un capote" significa ayudar al torero que está en apuros ante el toro: se distrae al animal y se lo lleva a otro lado.

Para utilizarla:
Echarle alguien un capote a otra persona.
Si yo no le echo un capote a María, ella sola no va a conseguir resolver el problema.

63. ECHAR UNA MANO

Ayudar a alguien.

Mi madre y yo tuvimos que limpiar toda la casa el fin de semana. Menos mal que vino mi tía a echarnos una mano, porque, si no, no habríamos terminado.

Otras expresiones similares:
Echar un cable.

Para utilizarla:
Echarle alguien una mano a otra persona.
Cuando llegó a Irlanda, John le echó una mano a Montse. Llámale, seguro que a ti también te va a ayudar.

64. ECHARSE A LOS PIES

Suplicar o pedirle algo a alguien muy humildemente.

Enrique suspendió su último examen, pero como de ese examen dependía su beca se echó a los pies del profesor pidiéndole que le aprobara.

Para utilizarla:
Echarse alguien a los pies de otra persona.
Él se echó a los pies de Sofía y ella se negó a ayudarle.

65. EL MUNDO ES UN PAÑUELO

Expresión que se utiliza cuando se encuentran dos personas en un lugar extraño o lejano.

Hoy me he encontrado delante de mi casa con una antigua compañera de la universidad. Ella ahora vive en París pero está de vacaciones en Madrid. ¡El mundo es un pañuelo!

66. EMPEZAR LA CASA POR EL TEJADO

Iniciar algo por el final o de forma desordenada.

Siempre haces lo mismo, empiezas la casa por el tejado y luego te quejas. Empieza desde el principio y verás lo fácil que es todo.

Otras expresiones similares:
Comenzar la casa por el tejado.

Para utilizarla:
Empezar alguien la casa por el tejado.
Tú siempre empiezas la casa por el tejado: te pones a estudiar directamente, sin hacer esquemas.

67. ENCONTRAR LA HORMA DE SU ZAPATO

Conocer a la persona que se adapta o complementa perfectamente a uno mismo.

Estoy segura de que esta vez en Mariano he encontrado la horma de mi zapato. Él es exactamente lo que necesito: amable, cariñoso...

Origen

En la fabricación de los zapatos la horma es el molde que sirve para darles forma. De la misma manera que la horma y el zapato ajustan exactamente, dos personas pueden encajar a la perfección.

Otras expresiones similares:
Dar con la horma de su zapato.
Encontrar su media naranja.

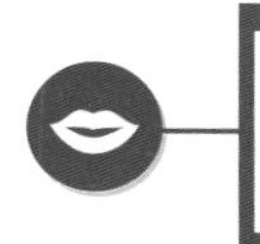

Para utilizarla:
Encontrar alguien la horma de su zapato.
Por fin Agustín ha encontrado la horma de su zapato... ¡mi amiga Susana!

68. ENSEÑAR LOS DIENTES

Mostrar a alguien que no se le teme y que uno está dispuesto a amenazar y a defenderse.

El jefe no le dijo nada porque Juan le había enseñado los dientes en varias ocasiones. Sabe de sobra que con él es mejor no meterse.

Otras expresiones similares:
Mostrar los dientes.
Enseñar / Mostrar los colmillos.

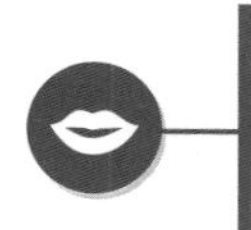

Para utilizarla:
Enseñarle alguien a otra persona los dientes.
Si tú le enseñas los dientes a Magdalena, ya verás como no se va a meter más contigo.

69. ESTAR AL PIE DEL CAÑÓN

Estar, a pesar de las dificultades, en un lugar o una situación difícil cuando otros han abandonado.

Diego ha llegado al puesto de director porque, cuando los demás se evadían de sus responsabilidades, él siempre estaba al pie del cañón.

Origen

Parece que tiene un origen militar y se refiere a los soldados que, después de disparar un cañón, se quedaban junto a él exponiéndose a que el enemigo, sabiendo su situación, les disparara.
Adaptado de ***Diccionario de dichos y frases hechas***

Otras expresiones similares:
Estar en la brecha.
Aguantar mecha.

Para utilizarla:
Estar alguien al pie del cañón.
Con sus sesenta y seis años ahí está Rodolfo al pie del cañón y sin pedir su jubilación.

70. ESTAR EN EL SÉPTIMO CIELO

Estar muy feliz. Sentirse muy a gusto.

Desde que me mudé al campo, estoy en el séptimo cielo: no hay ruidos, respiro aire puro, estoy rodeado de naturaleza...

Origen

Esta expresión tiene dos posibles orígenes. Hay quienes piensan que podría estar relacionada con el séptimo cielo de la religión musulmana que corresponde al paraíso. Para otros, esta expresión deriva de las teorías de Tolomeo, que fueron retomadas en el Renacimiento por Dante Alighiere, entre otros. Según estas, el universo se dividía en varios cielos, el séptimo era el último al que el hombre podía llegar, alcanzando así casi la perfección.

Otras expresiones similares:
Estar en la gloria.
Estar encantado de la vida.

Para utilizarla:
Estar alguien en el séptimo cielo.
Desde que se enamoró de José Luis, María está en el séptimo cielo.

71. ESTAR EN ÉPOCA DE VACAS GORDAS (FLACAS)

Esta expresión alude a la época de abundancia y riqueza (o si se trata de "vacas flacas" a una época de escasez y pobreza).

Mis padres me dicen que tenemos suerte de estar en época de vacas gordas porque ellos se acuerdan muy bien de los tiempos de vacas flacas cuando casi no tenían ni para comer.

Origen

Un faraón vio en sueños siete vacas gordas y luego siete vacas flacas que se comieron a las primeras. Al despertarse, el Faraón llamó a los adivinos para que le interpretaran su sueño, pero como ninguno lo consiguió, llamó al hebreo José. Este le dijo que las siete vacas gordas significaban siete años de abundancia y las siete flacas otros tantos de pobreza y hambre.

Otras expresiones similares:
Pasar las vacas gordas (flacas).

72. ESTAR EN LAS NUBES

Estar distraído, con la cabeza en otro lugar. Pensar en cosas irreales.

No sé qué le pasa a Gonzalo, últimamente está en las nubes. Parece que tiene problemas y no puede concentrarse en el trabajo.

Otras expresiones similares:
Estar en una nube.
Vivir en la nubes.
Tener la cabeza en las nubes.
Estar / Vivir en la luna.
Estar en el limbo.
Estar en Babia / en las Batuecas.

Para utilizarla:
Estar alguien en las nubes.
Lola siempre está en las nubes. Más vale que se dé cuenta de su situación y haga algo.

73. ESTAR EN SU (PROPIA) SALSA

Sentirse a gusto en un sitio o situación porque va mucho con la personalidad de alguien.

En mi despacho estoy en mi propia salsa. Allí tengo todo lo que necesito para trabajar y sentirme feliz.

Otras expresiones similares:
Sentirse como pez en el agua.

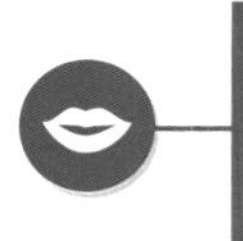

Para utilizarla:
Estar alguien en su (propia) salsa.
Desde que Sonia ha entrado en esta compañía está en su propia salsa.

74. ESTAR ENTRE DOS FUEGOS

Estar entre dos peligros extremos o entre dos bandos enfrentados.

Estoy entre dos fuegos, no sé qué hacer. Me han ofrecido dos puestos a cual peor: uno de corresponsal en Burundi y otro de periodista en la sección que menos me interesa.

Origen

El origen de esta expresión es discutido. Hay quienes piensan que es moderno, pues esta frase estaría relacionada con las armas de fuego. Sin embargo, hay quienes lo remontan a la época de los galos, cuyos sacerdotes o druidas antes de sacrificar víctimas humanas a su dios Beleno las hacían pasar entre dos fuegos u hogueras.

Para utilizarla:
Estar alguien entre dos fuegos.
Nosotros estamos entre dos fuegos y no sabemos qué hacer.

75. ESTAR ENTRE LA ESPADA Y LA PARED

Estar en una situación complicada de la que es muy difícil salir, ya que sólo hay una única alternativa mala y peligrosa.

Estoy entre la espada y la pared. Si acepto la propuesta de trabajar para esa empresa, pierdo mi libertad, pero si la rechazo no voy a ganar dinero, que buena falta me hace.

Otras expresiones similares:
Estar entre el yunque y el martillo.
Estar ante los cuernos / las astas del toro.

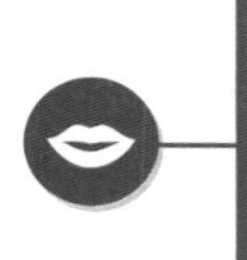

Para utilizarla:
Estar alguien entre la espada y la pared.
Susana está entre la espada y la pared: si se independiza, tiene que abandonar la carrera y dejar los estudios, pero si sigue en su casa, va a seguir discutiendo con sus padres.

76. ESTAR ENTRE PINTO Y VALDEMORO

Estar indeciso a la hora de elegir entre dos o más cosas.

Todavía no han aprobado mi proyecto, están entre Pinto y Valdemoro y no saben si darme luz verde o no.

Pinto y Valdemoro son dos pueblos cercanos en la provincia de Madrid que antiguamente estaban separados por un arroyo muy estrecho. Se cuenta que en Pinto había un borrachín que por las tardes iba con sus amigos al arroyo y se ponía a saltarlo, diciendo a cada salto: "Ahora estoy en Pinto", "Ahora estoy en Valdemoro". Hasta que un día se cayó en el riachuelo y dijo: "Ahora estoy entre Pinto y Valdemoro".

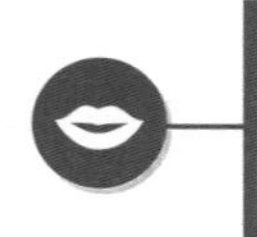

Para utilizarla:
Estar alguien entre Pinto y Valdemoro.
Sobre este asunto, yo estoy entre Pinto y Valdemoro.

77. ESTAR LA PELOTA EN EL TEJADO

Estar en una situación pendiente de una decisión. Ignorar cómo se va a solucionar una situación dada.

Me han hecho una buena oferta para comprar mi casa, ahora la pelota está en mi tejado.

Origen

Esta frase proviene de otra, "estar la pelota en el alero". El alero es la parte del tejado que sobresale fuera de la pared y sirve para desviar las aguas de lluvia. Si la pelota está en el alero, no se sabe si va a caer o se va a quedar en el tejado.

Otras expresiones similares:
Tener alguien la pelota en su tejado.
Estar la pelota en el alero.

Para utilizarla:
Estar la pelota en el tejado de alguien (el sujeto es "la pelota" y el verbo va en la tercera persona de singular).
Tú nos has propuesto el negocio. La decisión ahora es nuestra, la pelota está en nuestro tejado.

78. FALTARLE UN TORNILLO

Estar loco, trastornado (normalmente se utiliza en sentido figurado). Decir o hacer insensateces.

Ayer conocí a un chico muy guapo. Pero me parece que le falta un tornillo porque a los cinco minutos me preguntó si quería casarme con él.

Para utilizarla:
Faltarle a alguien un tornillo (el sujeto es "el tornillo")
A tu hermana le falta un tornillo: ayer me vio y ni me saludó.

79. HABER CUATRO GATOS

Indica que hay muy poca gente en un sitio.

Ayer estuvimos en el teatro. Pero solo había cuatro gatos y suspendieron la obra. La dejaron para otro sábado.

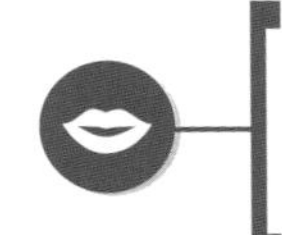

Para utilizarla:
Haber cuatro gatos (el verbo "haber" se utiliza en las formas impersonales: hay, había, hubo, etc.)
Aquí sólo hay cuatro gatos.

80. HABLAR POR LOS CODOS

Hablar demasiado y sin interrupción.

Su hermano es un chico muy pesado. Habla por los codos y no hay quien lo pare.

Otras expresiones similares:
Hablar como los loros.
Enrollarse.

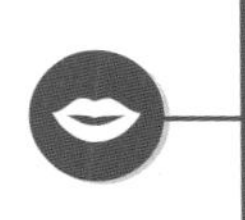

Para utilizarla:
Hablar alguien por los codos.
Ángel habla por los codos, no hay quien lo pare.

81. HACER LEÑA DEL ÁRBOL CAÍDO

Critica duramente a alguien que ha tenido un fracaso.

- *¿Por qué no te gusta Eduardo?*
- *No sé si te acuerdas de cuando despidieron a Jaime. Fue entonces cuando Eduardo hizo leña del árbol caído y, es más, le criticó duramente como si no fuera su amigo de toda la vida.*

82. HACER PUENTE

No trabajar un día laborable que está entre dos festivos.

- *La semana que viene me voy para París y me quedaré allí 5 días.*
- *¿Es que no tienes que trabajar?*
- *Sí, chica, pero el miércoles y el jueves son días festivos y el viernes hacemos puente así que tengo unas pequeñas vacaciones.*

Para utilizarla:
Hacer alguien puente.
Este fin de semana yo hago puente. Como el jueves es fiesta, me tomo el viernes libre y así tengo cuatro días.

83. HACERLE LA CAMA A ALGUIEN

Tramar en secreto algo a alguien con el objeto de perjudicarle.

No sabía que Inés era una persona tan mala. Presumía de ser muy amiga mía pero todo el tiempo por detrás me estaba haciendo la cama porque quería mi puesto en la empresa.

Origen

Cuando una persona está dormida, es cuando se le puede hacer daño más fácilmente. En esos momentos no se entera de nada y por eso se le hace la cama: para que duerma y no se entere de nada.

Otras expresiones similares:
Hacerle el traje a alguien.

Para utilizarla:
Hacerle alguien la cama a otra persona.
Tengo la sensación de que Carlos me está haciendo la cama a mí.

84. HACERLE SOMBRA A ALGUIEN

Superar en mérito o habilidad a otra persona.

- *No sé qué le pasa a mi jefe. Siempre me critica aunque sabe que no tiene razón.*
- *Tiene mucho miedo de que le hagas sombra y de que te conviertas tú en el número uno en la empresa.*

Para utilizarla:
Hacerle alguien sombra a otra persona.
Ella me hizo sombra a mí y yo tuve que reaccionar, claro.

85. HINCHÁRSELE LAS NARICES

a. Enfadarse mucho.
b. Hacerle perder a alguien la paciencia.

a. Después de haberme engañado y dejado sin dinero, se me hincharon las narices.
b. Hombre, dime directamente lo que quieres porque ya se me están hinchando las narices. No tengo mucho tiempo. Date prisa.

Origen
La frase es tan antigua como es antiguo el gesto de ensanchar mucho las aletas de la nariz cuando estamos enfadados.

Para utilizarla:
Hinchársele a alguien las narices. (Como el sujeto "las narices" está en plural, el verbo también siempre va en tercera persona plural).
A mí ya se me han hinchado las narices, voy a hablar con él.

86. IR AL GRANO

Frase coloquial que significa fijarse en lo más importante, tratarlo sin rodeos y olvidar lo superficial. Generalmente se utiliza con el Imperativo.

Y, ¿a qué has venido? Todavía no me lo has dicho. Por favor, déjate de rodeos y ve al grano, que no tengo mucho tiempo.

Origen

Cuando se recogen los cereales, se recoge el grano y se quita la paja, lo que no sirve. En una conversación se llama "paja" a las palabras que no sirven para nada.
Adaptado de ***Diccionario de dichos y frases hechas***

Otras expresiones similares:
Ir al meollo del asunto.

87. IR DE LA CECA A LA MECA

Ir de un lugar a otro sin parar. Se usa, generalmente con los verbos "ir", "andar".

Quería comprarte un regalo especial y por eso me pasé todo el día yendo de la Ceca a la Meca pero no lo encontré. Por eso te regalo este libro y espero que te guste.

Origen

Hay quienes piensan que la frase no tiene origen determinado, es decir, que está hecha como un simple juego con la rima, ya que antes aparecía sin artículo. Pero puede ser que tenga origen en los dos lugares, Ceca y Meca, como símbolos de ir de lo material a lo espiritual: En la Ceca los romanos acuñaban las monedas mientras que la Meca era el centro sagrado de la peregrinación de los musulmanes.

Otras expresiones similares:
Irse del caño al coro.

Para utilizarla:
Ir alguien de la Ceca a la Meca.
Como no sabe donde están las cosas en su nueva oficina, Arturo va de la Ceca a la Meca para hacer cualquier cosa.

88. IR POR LANA Y VOLVER TRASQUILADO

Esperar unos resultados positivos o ganancias en un asunto pero, en vez de eso, sufrir una pérdida inesperada.

Los de mi oficina pensaban engañarme diciéndome que comprara las acciones que en ese momento no valían nada. Pero, como la secretaria es amiga mía, lo supe a tiempo y ellos fueron por lana y volvieron trasquilados.

Origen

La frase alude a una historia en la que un carnero se metió en un rebaño ajeno pensando aprovecharse de las ovejas. Pero el pastor, que creía que el carnero era suyo, lo trasquiló, así que el carnero volvió a su rebaño trasquilado.

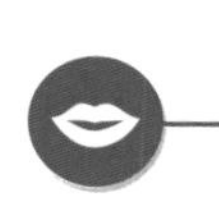

Para utilizarla:
Ir alguien por lana y volver trasquilado
Rosa se pasó de lista, fue a por lana y volvió trasquilada: fue a hablar con el director para criticar a José y la despidieron a ella.

89. IR SOBRE RUEDAS

Desarrollarse una cosa adecuadamente, de forma fácil y prevista, como si tuviera ruedas y no fuera necesario empujarla.

- *¿Cómo te va el proyecto que empezaste el mes pasado?*
- *Muy bien. Todo va sobre ruedas. Espero terminarlo pronto.*

Otras expresiones similares:
Ir / venir rodando.
Ir como la seda.

90. IR VIENTO EN POPA

Prosperar, funcionar una cosa perfectamente como si se tratara de un velero empujado por el viento que le ayuda a avanzar.

Desde que tengo mi propia escuela todo va viento en popa.

91. IRSE DE LA LENGUA

Decir algo que se debería mantener en secreto.

- *¿Por qué no me dices qué te pasa? Te veo preocupada.*
- *Porque, siempre que te digo algo, te vas de la lengua y todo el mundo se entera de lo que me pasa.*

Para utilizarla:
Irse alguien de la lengua
Sin darme cuenta, yo me he ido de la lengua y he dicho lo que no debía.

92. IRSE POR LOS CERROS DE ÚBEDA

Desviarse del asunto de que se trata, cambiar de tema de conversación sin motivo o responder a la pregunta con algo que no tiene nada que ver con el tema.

Siempre que no conoce el tema, él se va por los cerros de Úbeda y habla de otro tema.

Origen

Durante la Reconquista, cuando los cristianos luchaban contra los musulmanes por la conquista de la ciudad de Úbeda (Jaén), uno de los capitanes del rey desapareció antes de entrar en combate y se presentó en la ciudad después de que ésta hubiera sido reconquistada. Al preguntarle dónde había estado, contestó que se había perdido por los cerros de Úbeda. La frase fue tomada irónicamente por los cortesanos y los soldados y se perpetuó como signo de cobardía.

Otras expresiones similares:
Andarse con rodeos.
Irse por la tangente.

Para utilizarla:
Irse alguien por los cerros de Úbeda.
Uy, perdón. Creo que yo me he ido por lo cerros de Úbeda y no he contestado a tu pregunta.

93. ÍRSELE EL SANTO AL CIELO

Despistarse, olvidarse de lo que se estaba hablando o que se tenía que hacer.

Quería decirte algo en relación con nuestra reunión de hoy, pero se me ha ido el santo al cielo y no me acuerdo. Te lo diré cuando me acuerde.

Origen

Es posible que se trate de la historia de un cura que empezó a hablar de cosas terrenales porque se olvidó de qué santo y con qué motivo había empezado a hablar.

Para utilizarla:
Írsele a alguien el santo al cielo. (El sujeto es "el santo" así que el verbo tiene que ir en la tercera persona de singular).
¿Qué estáis diciendo? ¿Es que se os ha ido el santo al cielo?

94. ÍRSELE LA OLLA

Volverse loco, perder el control.

El director nos dijo que hiciéramos todos los informes para mañana. Esto es imposible. Parece que se le ha ido la olla.

Origen

La olla (como la azotea, la pelota o el coco) se utiliza con el significado de cabeza. Cuando la olla está demasiado tiempo al fuego, se le va el caldo, la sustancia. Lo mismo sucede al que se le va la cabeza. Adaptado de ***Diccionario de dichos y frases hechas***

Otras expresiones similares:
Írsele la cabeza.
Calentársele los cascos a alguien.

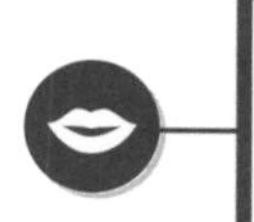

Para utilizarla:
Írsele a alguien la olla. (El sujeto es la olla así que el verbo va en la tercera persona de singular).
Huy, perdón. No sé en qué estaba pensando y a mí se me ha ido la olla.

95. JUGAR CON FUEGO

Hacer una persona algo que puede resultar peligroso.

Engañar a tu propio jefe es muy peligroso. Estás jugando con fuego. No te quejes cuando se entere y te despida, porque eso es lo que te pasará.

96. LÁGRIMAS DE COCODRILO (LLORAR, DERRAMAR)

Fingir una persona un dolor, arrepentimiento o pena que no se sienten.

- *¿Cómo conseguiste que tu marido te perdonara lo que habías hecho e incluso te comprara este collar de oro?*
- *Derramando unas cuantas lágrimas de cocodrilo.*

Origen

Los cocodrilos, cuando están en tierra, humedecen sus ojos y parece que están llorando. En muchos casos, salen a tierra para cazar a sus presas y, por eso, parece que están llorando al tiempo que se comen a sus víctimas.

97. LAVAR EL CEREBRO

Tratar de convencer a una persona de forma insistente de que cambie de opinión o su modo de pensar, como si se quisieran borrar todas sus ideas.

No trates de lavarme el cerebro diciéndome que compre este piso. Es que no me gusta y ya está.

Otras expresiones similares:
Comer el coco.

Para utilizarla:
Lavarle alguien el cerebro a otra persona.
No me cuentes nada más. Tú me estás lavando el cerebro a mí para hacer algo que no quiero.

98. LAVARSE LAS MANOS

No aceptar la responsabilidad de algo, no tomar una decisión.

Te digo que no lo hagas. Si te pasa algo, yo me lavo las manos. Que conste que te lo advertí.

Origen

La locución procede del Nuevo Testamento y cuenta que el gobernador romano en Judea ante la decisión de condenar o liberar a Jesucristo se lavó las manos en señal de inocencia.

Otras expresiones similares:
Tener las manos limpias.

99. LEVANTAR LA LIEBRE

Descubrir un secreto que se quería mantener oculto.

No sé quién levantó la liebre pero ahora todo el mundo sabe que me divorcio y que mi marido se casará con su secretaria.

Origen

Procede de su sentido literal, es decir, descubrir un secreto es lo mismo que hace el perro cazador cuando descubre a la liebre.

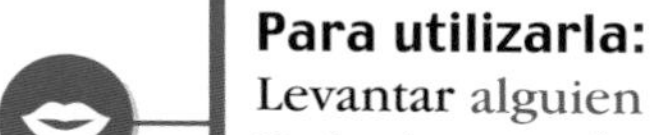

Para utilizarla:
Levantar alguien la liebre.
Yo he levantado la liebre, porque prefiero que las cosas estén claras y no andar con secretos.

100. LLEGAR Y BESAR EL SANTO

Conseguir muy rápidamente algo que se pretende.

- *¿Cómo ha sido lo de la compra de tu nuevo coche?*
- *Yo pensaba que sería difícil y que Diego se opondría. Pero fue llegar y besar el santo porque él aceptó sin hacerme preguntas.*

Origen

Puede ser que la frase tenga su origen en la satisfacción de un peregrino que hace un largo y fatigoso viaje andando para llegar a una iglesia y besar el santo de su devoción.

Otras expresiones similares:
Llegué, vi y vencí.

101. LLENARLE LA CABEZA DE PÁJAROS

Infundir vanas esperanzas.

El mejor amigo de mi hijo es un chico bueno pero últimamente lo veo un poco raro y no me gusta porque le llena la cabeza de pájaros.

Otras expresiones similares:
Tener la cabeza llena de pájaros.
Meter pájaros en la cabeza.

Para utilizarla:
Llenarle alguien la cabeza de pájaros a otra persona.
A ti tu novia te ha llenado la cabeza de pájaros. Deja de soñar y sé realista.

102. LLEVAR AL HUERTO

Engañar a alguien.

A mí no me va a llevar al huerto. Lo conozco bien y sé que es un mentiroso y un ladrón, así que no le voy a dar nada de lo que me pidió.

Origen

La frase puede tener dos orígenes. Uno se refiere a una parte del Nuevo Testamento en la que se cuenta que Judas, para delatar a Jesucristo, le dio un beso en el Huerto de los Olivos. La otra, reflejada en varias obras de literatura, hace referencia al huerto como lugar amoroso, un amante lleva al otro al huerto.

Otras expresiones similares:
Dársela con queso.
Comer el coco.

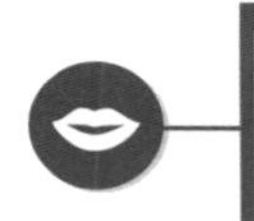

Para utilizarla:
Llevarle alguien al huerto a otra persona.
El abogado me llevó al huerto a mí y me hizo firmar esos papeles.

103. LLEVARSE EL GATO AL AGUA

Vencer a alguien en una discusión, triunfar.

Ayer tuvimos una fuerte discusión entre nosotros pero, a mi pesar, Ricardo fue el que se llevó el gato al agua.

Origen

La frase tiene su origen en un juego antiguo en el que dos grupos de muchachos tendían una cuerda sobre un charco y se ponían a los lados extremos de la cuerda. Cada grupo tiraba de su extremo y el que conseguía hacer caer a los otros al suelo y llevarlos a gatas (andando con los pies y con las manos, arrastrándolos) al agua ganaba.
Adaptado de *Diccionario de frases hechas y dichos*

Otras expresiones similares:
Salirse con la suya.

Para utilizarla:
Llevarse alguien el gato al agua.
Yo me he llevado el gato al agua, el nuevo puesto de gerente es mío.

104. LLORAR SOBRE LA LECHE DERRAMADA

Lamentar una cosa hecha cuando ya no hay remedio.

Ahora ya es tarde, lloras sobre la leche derramada. Si me hubieras hecho caso y hubieras tenido más cuidado con este jarrón tan caro, no se habría roto.

105. LOS MISMOS PERROS CON DISTINTOS COLLARES

Se utiliza de forma peyorativa para indicar que, a pesar de un cambio de personas o cosas, todo es prácticamente lo mismo, sólo es un cambio aparente.

Nos quitaron a dos profesores en la escuela después de habernos quejado. Pero los sustitutos son los mismos perros con distintos collares. Todo sigue igual.

Origen

Hay varias versiones. Quizá la más verosímil (citada por Galdós en una de sus novelas) es una que cuenta que en 1821 hubo un cambio de gobierno, pero la gente creía que presentaba las mismas ideas y los mismos problemas que el gobierno anterior.

106. LUCHAR CON UÑAS Y DIENTES

Luchar por algo o alguien con gran tenacidad y empeño.

Mi proyecto es el mejor y lucharé por él con uñas y dientes. No dejaré que otra persona se lleve el premio.

Otras expresiones similares:
Luchar sin cuartel / tregua.

107. MANDAR AL QUINTO PINO

Rechazar a alguien con enfado o brusquedad.

- *Hace unos días me llamaron de una empresa pidiéndome que probara sus productos y que los comprara.*
- *¿Y cómo resolviste el problema?*
- *Muy fácil. Les mandé al quinto pino.*

Otras expresiones similares:
Mandar a freír espárragos.
Mandar a hacer puñetas.
Mandar a la porra / paseo.
Mandar a tomar morcillas / viento fresco.

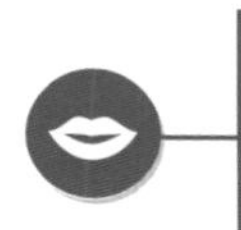

Para utilizarla:
Mandarle alguien a otra persona al quinto pino.
Isabel le ha mandado a su novio al quinto pino. Dice que ya no quiere verle más.

108. MANTENERSE EN SUS TRECE

Persistir obstinadamente y con terquedad en una idea, propósito, afirmación o actitud.

María es muy terca. Sabe que no tiene razón, que el chico con quien sale es un estafador pero se mantiene en sus trece y sigue saliendo con él.

Origen

Hay varias teorías sobre el origen, pero la más verosímil es la que se atribuye al antipapa Pedro de Luna, que mantuvo su derecho al pontificado con el nombre de Benedicto XIII durante el cisma de Occidente. Varias veces prometió renunciar a su cargo pero, siempre que llegaba el momento, no cumplía su promesa. A pesar de muchas comunicaciones de reyes y príncipes se encerró en su castillo y no quiso ceder. Se mantuvo en su trece, como Benedicto XIII, hasta su muerte en 1424.

Otras expresiones similares:
Erre que erre.

109. MATAR DOS PÁJAROS DE UN TIRO

Conseguir realizar dos objetivos de una sola vez.

Cuando vayas al dentista, pasa por el centro y cómprame dos cuadernos que necesito hoy para la escuela. Así matarás dos pájaros de un tiro.

110. MATAR EL GUSANILLO

Comer un poco para calmar el hambre.

Dentro de dos horas vamos a cenar con nuestros amigos. Pero como tengo mucha hambre, comeré un bocadillo para matar el gusanillo.

Origen

Parece que la frase viene de Francia. Se trata de una creencia popular de que en el estómago de una persona habitan gusanillos y lombrices que piden comer, sobre todo a la hora de almorzar. Y por eso, por la mañana se toma aguardiente para matarlos o, al menos, para adormecerlos.

Otras expresiones similares:
Tomar un tentempié.

111. METERSE A ALGUIEN EN EL BOLSILLO

Ganar la simpatía o el apoyo de una persona.

El actor fue fantástico. Al principio todos pensábamos que la función iba a ser muy aburrida pero, como el chico tenía mucho talento, se metió a todos en el bolsillo.

Para utilizarla:
Meterse alguien en el bolsillo a otra persona.
Yo me he metido al jefe en el bolsillo, tiene muy buena opinión de mí.

112. MONTAR UN NUMERITO

Hacer algo escandaloso o extravagante.

Yo pensaba que mi ex novio era una persona tranquila e inteligente. Pero, cuando le dije que quería dejarlo, me montó un numerito delante de todos mis amigos. Todos se quedaron boquiabiertos.

Origen

La palabra "número" o "numerito" proviene del circo donde a cada actuación se le llama así.

Otras expresiones similares:
Montar una escena.
Dar el espectáculo.

113. MORDER EL ANZUELO

Dejarse engañar, creer una mentira.

Ese descarado de mi marido me dijo que necesitaba dinero para comprarse un coche nuevo. Yo se lo di, pero parece que mordí el anzuelo porque el dinero fue para pagar sus deudas de juego.

Origen

Proviene de la pesca en la que se pone un anzuelo con un cebo y el pez, engañado, lo muerde.

Otras expresiones similares:
Picar el anzuelo.
Dársela con queso.

114. MUCHO RUIDO Y POCAS NUECES

Tener algo una gran apariencia y, en realidad, ser de poca importancia.

Cuando me llamaron del hospital diciendo que mi hermana había tenido un accidente, me asusté mucho, pero afortunadamente fue mucho ruido y pocas nueces. Tuvo un solo rasguño en la pierna.

La frase tiene un origen muy sencillo. Se alude al ruido que provocan las nueces cuando caen al suelo y al hecho de que en realidad ocultan en su interior poca cantidad de fruto comestible.

115. NADAR Y GUARDAR LA ROPA

Aprovecharse de algo, tratando de obtener el mayor beneficio posible con el menor riesgo.

Juan y Rocío se están separando y, como yo soy amigo de los dos, es cuestión de nadar y guardar la ropa: hablar con los dos y ser muy amigo de cada uno.

Procede de la facilidad que tenían algunos ladrones de robar la ropa y el dinero de las personas que se estaban bañando en los ríos y que habían dejado sus cosas en la orilla, porque es imposible nadar y vigilar (guardar) la ropa.

116. NO CABER NI UN ALFILER

No haber sitio o plaza libre, estar un lugar completamente lleno de gente.

Ayer estuvimos en un concierto. La sala estaba tan llena que no cabía ni un alfiler.

Otras expresiones similares:
No caber ni una mosca.
Estar hasta los topes / las trancas.

117. NO PINTAR NADA

No tener importancia, no desempeñar función alguna en un lugar, fiesta, reunión.

Me voy porque es evidente que aquí no pinto nada. Nadie me hace caso.

Origen

En algunos juegos de cartas un color (palo) de la baraja tiene más importancia que los otros tres. Es el palo que pinta.

118. NO PODER VER NI EN PINTURA

Sentir una gran aversión hacia alguien.

¡A ese chico no puedo verlo ni en pintura! No me gusta nada.

Origen

En este caso "pintura" se refiere a un cuadro. Indica que se tiene tal odio a una persona que no se la quiere ver de ninguna manera, ni en un cuadro.

Para utilizarla:
No poder alguien ver a otra persona ni en pintura.
Teresa no me puede ver ni en pintura, me odia.

119. NO SER NADA DEL OTRO MUNDO

No ser una cosa extraordinaria, sino común y corriente.

- *¿Qué tal la película que te recomendé?*
- *Bueno, para serte sincero no es nada del otro mundo. Esperaba mucho más.*

Otras expresiones similares:
No ser nada del otro jueves.
No ser muy allá.

120. NO TENER PELOS EN LA LENGUA

No tener reparos en decir lo que se piensa, pudiendo herir la susceptibilidad de otra persona.

Para mí no hay remedio. Como no tengo pelos en la lengua, siempre digo lo que pienso y por eso perdí el trabajo varias veces. Yo soy la que siempre le dice al jefe que es un tonto o un irresponsable o cualquier otra cosa. Y claro...

121. OLER A CUERNO QUEMADO

Resultar una cosa sospechosa o desagradable, causar mala impresión.

Lo de Marina me huele a cuerno quemado. Ni me llama ni contesta a mis llamadas. O está enfadada o tiene otro novio.

Origen

Puede ser que esté relacionado con las quemas de condenados por la Inquisición. Los sospechosos de un delito grave (con cuernos se representa al diablo y a los posibles actos de brujería), antes incluso de ser inculpados, olían a cuerno quemado, pues seguramente su destino era la hoguera.
Adaptado de *Diccionario de dichos y Frases hechas*

Otras expresiones similares:
Oler a chamusquina.
Oler mal.
Haber gato encerrado.

Para utilizarla:
Olerle algo a cuerno quemado a alguien.
A mí este negocio me huele a cuerno quemado. Mejor no invertimos en él.

122. PAGAR EL PATO

Padecer un castigo que ha merecido otra persona o sufrir las consecuencias de algo sin tener la culpa.

No sé qué me pasa. O soy ingenua o soy tonta. Siempre que una compañera de trabajo hace algo malo, yo pago el pato. Ya estoy harta y se lo voy a decir todo al director.

Origen

Proviene del siglo XV cuando los judíos comenzaban a ser perseguidos. El pacto de los judíos con Dios está escrito en su libro la Torá. Pero los cristianos, en su desconocimiento, creían que los judíos tenían un pacto (escrito y pronunciado como pato) extraño y que adoraban a una tora (por su ignorancia pensaban que Torá era hembra del toro), es decir, una vaca, y les amenazaban con "pagar el pato", esto es, recibir un escarmiento por su pacto con una vaca.
Adaptado de *Diccionario de frases hechas y dichos*

Otras expresiones similares:
Pagar los platos / cristales rotos.

123. PASAR AL OTRO BARRIO

Morir, fallecer.

Por favor, no conduzcas tan deprisa. Es que no quiero pasar al otro barrio antes de que me llegue la hora.

Otras expresiones similares:
Pasar a mejor vida.

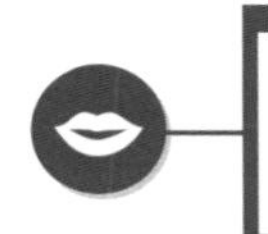

Para utilizarla:
Pasar alguien al otro barrio.
Mi abuelo pasó al otro barrio cuando tenía 89 años.

124. PASAR LA NOCHE EN BLANCO

Pasar la noche sin dormir.

Hace unos días pasé la noche en blanco y todavía no he podido recuperarme. Sigo con ojeras y estoy muy cansada.

Origen

En algunas órdenes de caballería, los nuevos miembros, antes de ser armados caballeros, pasaban la noche despiertos junto a sus armas, vestidos con unas túnicas blancas como símbolo de pureza.

Otras expresiones similares:
Pasar la noche en vela.
No pegar ojo.

Para utilizarla:
Pasar alguien la noche en blanco.
Como no sabemos nada de Julia, yo he pasado la noche en blanco.

125. PEDIRLE PERAS AL OLMO

Pretender algo imposible.

Esperar que tu hijo, que es un vago, termine la carrera en 4 años es como pedir peras al olmo.

Otras expresiones similares:
Pedir la luna.

Para utilizarla:
Pedirle alguien peras al olmo.
Yo no le pido peras al olmo, lo que quiero es que me escuches.

126. PEGARSE COMO UNA LAPA

Insistir en hacerle compañía a alguien hasta resultarle muy pesado y aburrido.

Ahí viene Enrique. Ya verás como se nos pega como una lapa, porque sabe que podemos ayudarle en el examen de mañana.

Origen

La lapa es un molusco marino pegado tan fuertemente a la roca que resulta casi imposible despegarla sin usar el cuchillo.

Para utilizarla:
Pegarse alguien como una lapa a otra persona.
Yo me pegué como una lapa a un grupo de famosos y conseguí entrar en el club.

127. PEGÁRSELE A ALGUIEN LAS SÁBANAS

Quedarse dormido, despertarse tarde, quedarse en la cama más de lo habitual.

- *¿Por qué llegas tan tarde a la oficina?*
- *Porque llegué a casa a las 5 de la mañana y se me han pegado las sábanas.*

Para utilizarla:
Pegársele las sábanas a alguien. (Como el sujeto "las sábanas" es plural, el verbo también va a la tercera persona de plural).
A Carmen se le han pegado las sábanas y por eso ha llegado tarde.

128. PERDER EL HILO

Esta frase indica que una persona deja de seguir una conversación o un discurso, es decir, pierde el argumento principal.

No es que no entienda tu chiste. Es que he perdido el hilo por un momento y ahora no puedo seguirte.

Origen

Procede del mito del Laberinto y el Minotauro según el cual Teseo consiguió entrar y salir del laberinto y matar al Minotauro siguiendo el hilo que le había dado Ariadna.

Otras expresiones similares:
Írsele el santo al cielo.
Irse por los cerros de Úbeda.

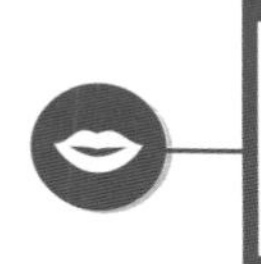

Para utilizarla:
Perder alguien el hilo de algo.
El conferenciante perdió el hilo de lo que estaba diciendo y no se entendió su argumentación.

129. PERDER LAS RIENDAS

Perder el control de una situación. Se utiliza especialmente cuando alguien está muy enfadado.

Andrés es una persona muy impulsiva. Cuando pierde las riendas, no hay quien pueda con él y entonces es mejor evitarlo.

Origen

Se refiere a las riendas de un caballo. Cuando se pierden las riendas, el caballo está descontrolado, desbocado. El caballo es el genio, el temperamento y las riendas el control.

Otras expresiones similares:
Perder la cabeza.

Para utilizarla:
Perder alguien las riendas.
Ellos perdieron las riendas y acabaron peleándose.

130. PISAR HUEVOS

Hacer algo con suma precaución y lentitud.

Anoche regresé a casa muy tarde y, para que no me oyeran, tuve que entrar pisando huevos.

Otras expresiones similares:
A dos por hora.

131. PONER EL DEDO EN LA LLAGA

Hablar de un problema o de un asunto difícil, aunque duela.

Arturo puso el dedo en la llaga cuando habló de la desorganización del departamento, porque era algo que todos sabíamos, pero nadie quería tratar.

Origen

Se trata de un episodio del Nuevo Testamento en el que se cuenta que uno de los discípulos, para convencerse de que Jesucristo había resucitado, le metió la mano en la llaga del pecho y así comprobó que era realmente él.

Para utilizarla:
Poner alguien el dedo en la llaga.
Si tratamos este asunto, nosotros ponemos el dedo en la llaga.

132. PONER LA MANO EN EL FUEGO

Tener seguridad en el comportamiento correcto de una persona, en su honradez o en la certeza de una cosa.

Victoria es mi mejor amiga y pongo la mano en el fuego por ella. La conozco bien y sé que nunca me mentiría.

Origen

En los juicios de la Inquisición para demostrar la culpabilidad o inocencia de alguien, se le metía la mano en el fuego. Si a los tres días se le habían curado las heridas, entonces significaba que era inocente.

Para utilizarla:
Poner alguien la mano en el fuego por otra persona o por algo.
Yo no pongo la mano en el fuego por nadie.

133. PONERLE LOS DIENTES LARGOS

Provocar la admiración o la envidia de alguien, hacer que otra persona sienta un deseo intenso por algo.

- *Mañana me voy de viaje. Iré a la playa y lo pasaré bomba.*
- *Hombre, sabes que yo no puedo ir a pesar de quererlo mucho y, por eso, por favor, no me pongas los dientes largos.*

Otras expresiones similares:
Dar envidia.

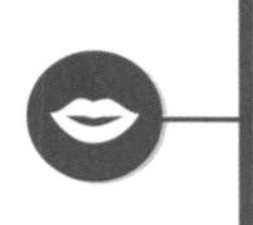

Para utilizarla:
Ponerle alguien los dientes largos a otra persona.
¿Sabes, Raúl? Yo te voy a poner los dientes largos a ti: me voy de vacaciones a Cancún.

134. PONERSE LAS BOTAS

Sacar beneficio de algo, enriquecerse.

¡Qué suerte tienes! Te has puesto las botas vendiendo tu piso en el mejor momento. Con este dinero podrás comprarte una casa en la mejor zona.

Origen

Hace tiempo sólo los caballeros utilizaban botas; era el calzado de quienes pertenecían a las clases superiores; de ahí, seguramente, esas connotaciones de riqueza y abundancia que tiene la locución.

Para utilizarla:
Ponerse alguien las botas.
La verdad, María y yo nos hemos puesto las botas con este negocio.

135. PONERSE MORADO

Hartarse de algo, disfrutar de la comida o de otra cosa hasta la saciedad.

Estuve tres días de excursión en la montaña y pasé un hambre horrible. Por eso, cuando regresé a casa, me puse morada.

Otras expresiones similares:
Ponerse ciego.
Ponerse como el Quico.
Ponerse tibio.

Para utilizarla:
Ponerse alguien morado.
Nosotras nos ponemos moradas cuando vamos a casa de mi madre. Es que cocina muy bien.

136. POR LA PUERTA TRASERA (ENTRAR)

Hacer una cosa tratando de evitar el procedimiento regular, no respetarlo.

- *¿Cómo es que este hombre se hizo tan famoso sin que nosotros nos diéramos cuenta?*
- *Es que entró en la política y en la vida pública por la puerta trasera y se instaló de una manera discreta.*

Otras expresiones similares:
A escondidas.
Por detrás.

137. QUEMARSE LAS PESTAÑAS

Estudiar o leer mucho.

Para aprobar el examen de matemáticas hay que quemarse las pestañas.

Origen

La expresión se usaba antes sólo para estudiar o leer por la noche y se refería a que, como se leía a la luz de una vela, se quemaban el pelo, las pestañas o las cejas por acercarse mucho a la luz.

Otras expresiones similares:
Quemarse las cejas.
Dejarse los ojos.

Para utilizarla:
Quemarse alguien las pestañas.
Sí, sí, al final nuestro informe ha quedado muy bien, pero yo me he quemado las pestañas en él, no vosotros.

138. ROMPERSE LOS CUERNOS

Esforzarse o empeñarse en hacer algo difícil.

- *¿Cómo has conseguido entrar en la final?*
- *Pues rompiéndome los cuernos.*

Otras expresiones similares:
Romperse el cráneo / la crisma.

Para utilizarla:
Romperse alguien los cuernos (para algo).
Teresa y yo nos hemos roto los cuernos para conseguir el dinero que te debíamos. Toma, aquí lo tienes.

139. SACAR DE SUS CASILLAS

Irritar a alguien, hacerle enfadarse o perder los nervios.

Siempre que salimos a cenar, mi marido se pelea con los camareros porque piensa que le engañan. Me saca de mis casillas y además me da mucha vergüenza porque, en la mayoría de casos, no tiene razón.

Origen

La frase proviene del juego de las tablas (el ajedrez) donde un jugador saca la ficha que hay en una casilla si llega a ella.

Otras expresiones similares:
Sacar de quicio.

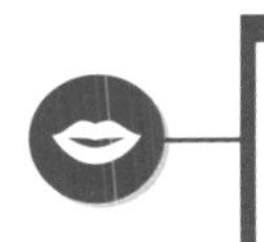

Para utilizarla:
Sacarle alguien de sus casillas a otra persona.
A mí Antonio me saca de mis casillas, no le puedo soportar.

140. SACAR LAS CASTAÑAS DEL FUEGO

Solucionar a alguien un problema haciendo lo que le correspondería hacer a esa persona.

Chico, si algo va mal por tu culpa, tienes que asumir tu responsabilidad. No puedo sacarte las castañas del fuego siempre. Crece de una vez y empieza a pensar como una persona adulta.

Origen

La expresión procede de una fábula de La Fontaine en la que cuenta que un gato y un mono se pusieron a asar castañas al fuego. Cuando ya estaban listas, el mono, para no quemarse, engañó al gato para que las sacara él, alabando su valentía.

Otras expresiones similares:
Sacar de un apuro.

Para utilizarla:
Sacarle alguien las castañas del fuego a otra persona.
Siempre te saco yo las castañas del fuego a ti.

141. SACARSE UN AS DE LA MANGA

Tener una solución para cuando ya no hay otro remedio, es decir, una sorpresa inesperada para usarla en una situación difícil.

Enrique me dijo que no podía ayudarnos a salir del apuro, pero yo saqué un as de la manga y le pedí el dinero a su hermana. Sabía que podía prestárnoslo.

Origen

La expresión proviene de los juegos de cartas en los que, a veces, los jugadores tienen la carta de más valor (un as) escondida en la manga para sacarla en un momento determinado.

Otras expresiones similares:
Sacarse algo de la manga.

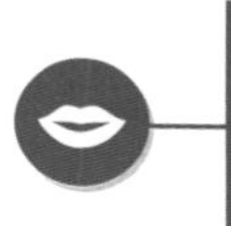

Para utilizarla:
Sacarse alguien un as de la manga.
El jefe es muy astuto y siempre se saca un as de la manga en el último momento.

142. SACUDIRSE LAS MOSCAS

Olvidar o dejar de lado las preocupaciones o los problemas.

Hoy he tenido un día muy ajetreado y por eso he decidido ir al teatro para sacudirme las moscas.

Origen

Las moscas pueden ser tan molestas como los problemas y cualquier persona, si las tiene delante de la cara, las espanta.

Para utilizarla:
Sacudirse alguien las moscas.
Como es tan optimista, Alejandro se sacudió las moscas y se fue de vacaciones, aunque tenía muchos problemas económicos.

143. SALIR DE MÁLAGA Y ENTRAR EN MALAGÓN

Salir de una situación difícil y entrar en otra peor.

Vender esa casa y comprar esta fue como salir de Málaga y entrar en Malagón.

Otras expresiones similares:
Salir de Guatemala y entrar en guatepeor.
Escapar del trueno y dar con el relámpago.
Saltar de la sartén al fuego.

144. SALTAR CHISPAS

Provocar una situación tensa o violenta.

No me digas nada. Estoy muy nerviosa y, si me dices algo que pueda provocarme, saltarán chispas.

Origen

En la mitología griega el dios Zeus arrojaba chispas y rayos cuando estaba enfadado.

145. SER CABEZA DE TURCO

Pagar la culpa de otra persona.

Han detenido a nuestro director, pero a mí me parece que el pobre es la cabeza de turco de los miembros de la junta directiva.

Origen

Es posible que tenga su origen en los constantes enfrentamientos de los europeos con los turcos. A ellos, a los turcos, se les echaba la culpa de todo y contra ellos se luchaba periódicamente casi como deporte nacional.
Adaptado de *Diccionario de frases hechas y dichos*

Otras expresiones similares:
Cargar con el mochuelo.
Pagar el pato.

146. SER DE SANGRE AZUL (TENER SANGRE AZUL)

Ser descendiente de reyes o de nobles.

- *Miguel Ángel se ha casado con una chica que es de sangre azul.*
- *¿Cómo de sangre azul?*
- *Pues, la chica es de una familia noble.*

Origen

La locución tiene su origen en los tiempos en los que las mujeres y hombres de altas clases sociales, por la riqueza que gozaban y la clase de vida que llevaban, se distinguían de los demás por su piel delicada y casi transparente que permitía que se vieran sus venas de color azul y no rojo, como era de suponer por la sangre que por ellas corría.

147. SER EL PEREJIL DE TODAS LAS SALSAS

Indica que una persona se mete en cosas ajenas sin ser necesitada o invitada.

A mí no me gustan las personas como Cristina. Siempre se mete en todo y quiere saber todo. Es el perejil en todas las salsas.

 **Origen**

En la cocina española, el perejil es una especia muy utilizada para hacer salsas.

148. SER LA GALLINA DE LOS HUEVOS DE ORO

Ser fuente inagotable de riquezas.

Luis Enrique se casó con una mujer que es la gallina de los huevos de oro. Es muy rica y le va a pagar sus deudas, le va a mantener...

Origen

Esta expresión tiene su origen en una fábula de Esopo. En ella se cuenta la historia de un campesino que tenía una gallina que, en vez de poner huevos normales, los ponía de oro. Llevado por su codicia, el campesino la mató pues esperaba encontrar dentro de la gallina mucho oro, pero no fue así.

Otras expresiones similares:
Matar la gallina de los huevos de oro.

149. SER LA OVEJA NEGRA

Se llama así a la persona cuyo comportamiento se distingue negativamente del de su familia o de un grupo social.

En mi familia todos son médicos menos yo. Dicen que soy la oveja negra de la familia porque me dedico a otra cosa y no a la medicina.

150. SER UN CERO A LA IZQUIERDA

No valer para nada, ser una nulidad, ser una persona que desempeña un papel absolutamente poco relevante, no ser tenido en cuenta.

Siempre que tenemos que salir, vosotros hacéis lo que queréis y mi opinión no se toma en cuenta. Parece que para vosotros soy un cero a la izquierda.

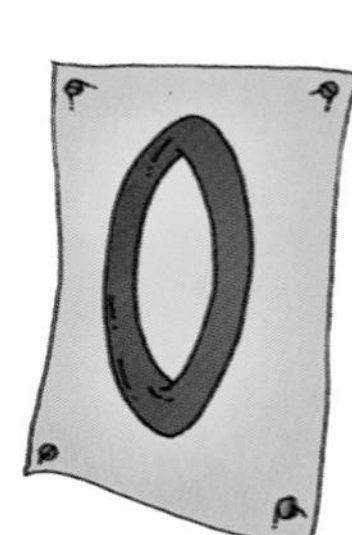

151. SER UN VIEJO VERDE

Se llama así a una persona que se comporta inapropiadamente para su edad, especialmente en lo sexual.

Mi vecino de arriba es un viejo verde. Tiene 60 años y, siempre que paso a su lado, me dice cosas obscenas. Y para colmo su hija es mi amiga.

Origen

El verde es el color que se asocia con el erotismo: una película verde, un chiste verde...

152. SUBÍRSELE LOS HUMOS A LA CABEZA

Volverse soberbio o vano, creerse el mejor, por haber conseguido un éxito.

Después de haber recibido el premio por su proyecto, a Juan se le han subido los humos a la cabeza. No hay quien pueda con él. Se cree el rey del mundo.

Origen

En la época romana existía la costumbre de venerar los bustos de los antepasados a los que se les encendían velas. El busto que estaba más manchado de humo era signo de ser el más venerado.

Otras expresiones similares:
Tener muchos humos.
Darse aires.

Para utilizarla:
Subírsele los humos a alguien (como el sujeto "los humos" están en plural, el verbo siempre va en tercera persona del plural).
A ti se te han subido los humos y por eso no te hablan. Tienes que ser más humilde.

153. TENER BUENA PERCHA

Tener una persona buen aspecto físico, figura.

- *¿Por que han elegido a Cristina de modelo?*
- *Porque ninguna de las candidatas tenía tan buena percha. A Cristina todo le queda fenomenal.*

154. TENER CARA DURA

No tener vergüenza, tener descaro.

¡Qué cara dura tiene Ignacio! No deja de pedirme dinero. Y nunca me lo devuelve. No se lo daré nunca más.

Otras expresiones similares:
Ser un caradura.
Tener mucha cara / morro / jeta.
Tener más cara que espalda.

155. TENER EL SANTO DE CARA / DE ESPALDA

Tener buena (o mala) suerte.

Últimamente todo me va bien. Parece que tengo el santo de cara.

156. TENER ENTRE CEJA Y CEJA A ALGUIEN

Tener manía a una persona, sentir antipatía por alguien de forma obsesiva.

No sé qué le hice a María. Me tiene entre ceja y ceja y no me deja vivir.

Para utilizarla:
Tenerle alguien entre ceja y ceja a otra persona.
Mi profesor a mí me tiene entre ceja y ceja, me tiene manía.

157. TENER LA LENGUA LARGA

a. Ser imprudente una persona en lo que dice.
b. Ser descarado.

a. Tú tienes la lengua muy larga y, a veces, dices lo que no debes.
b. ¡Qué mal hablas! Tienes la lengua muy larga. No digas tacos.

Otras expresiones similares:
Ser un deslenguado.

158. TENER LA MOSCA DETRÁS DE LA OREJA

Estar receloso por algo. Sospechar.

- *¿Qué te pasa? ¿Por qué tienes la mosca detrás de la oreja?*
- *Porque mi marido esta semana me ha traído flores dos veces. Debe de ocultar algo.*

Origen

Existen dos explicaciones. La más simple dice que, cuando se oye el zumbido de una mosca, uno se siente incómodo y quiere cazarla. Del mismo modo, cuando se sospecha algo, se quiere conocer la verdad. La otra dice que antes los soldados que se encargaban de los cañones llevaban la mecha (mosca) detrás de la oreja. Por eso, si llevaban la mecha detrás de la oreja, es que algo iba a explotar.

Otras expresiones similares:
Estar mosqueado.

159. TENER LA SARTÉN POR EL MANGO

Ser el dueño de la situación, controlarla totalmente.

No te opongas al profesor. Él tiene la sartén por el mango y puede decidir si te aprueba el examen o no.

Otras expresiones similares:
Cortar el bacalao.

160. TENER LAS MANOS LARGAS

a. Ser una persona muy pegona.
b. Ser un ladrón.

a. *Mi hijo tiene las manos largas. Cada vez que ve a otro niño, le pega.*
b. *¡Otra vez me has robado dinero! Tienes las manos largas.*

161. TENER MANGA ANCHA

Ser permisivo y tolerante con las faltas propias y ajenas.

Mis colegas profesores me dicen que tengo manga ancha con mis estudiantes. Casi todos aprobaron el examen.

Origen

En su origen la expresión se refería a la permisividad de los sacerdotes confesores. En la tradición católica, los fieles van a la iglesia y confiesan sus pecados a unos sacerdotes que les dan el perdón. Es posible que entonces se identificara esta tolerancia con el hecho de que el hábito que llevan los sacerdotes católicos tuviera las mangas más o menos anchas.
Adaptado de *Diccionario de dichos y frases hechas*

Otras expresiones similares:
Abrir la mano.

162. TENER MUCHAS TABLAS

Tener mucha experiencia, desenvolverse con soltura en una situación concreta.

Me gusta este conferenciante. Tiene muchas tablas y se ve que disfruta haciendo este trabajo.

Origen

En el argot teatral con "las tablas" se alude al escenario y se dice que un actor tiene muchas tablas cuando ha estado actuando en muchas ocasiones.

Otras expresiones similares:
Tener muchas horas de vuelo.

163. TENER SALERO

Tener gracia o desenvoltura en la forma de actuar.

¡Qué chico tan simpático! Tiene salero en cualquier cosa que haga. Te enamora a primera vista.

Origen

Se considera la sal como la alegría de la vida, del mismo modo que la sal hace más sabrosos los platos.

164. TIRAR DE LA LENGUA

Hacer que alguien diga algo que quería callar, sonsacar información.

No me tires de la lengua. No te lo voy a decir. Es un secreto y prometí a Sandra que no se lo diría a nadie.

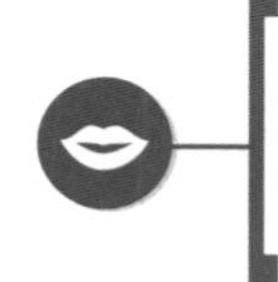

Para utilizarla:
Tirarle alguien de la lengua a otra persona.
Tú no me tires de la lengua a mí, que no pienso decirte nada.

165. TIRAR LA CASA POR LA VENTANA

Gastar más de lo necesario, derrochar.

Este año no vamos a viajar en Navidades porque en julio tiramos la casa por la ventana y ahora nos toca ahorrar.

Origen

La frase proviene del siglo XVIII cuando fue instaurada la lotería (1763) por orden del rey Carlos III. En aquella época las personas premiadas tenían la costumbre de tirar por la ventana los muebles viejos y otras cosas de casa para empezar la vida con riqueza.

166. TIRAR LA TOALLA

Rendirse, darse por vencido.

Hace meses que trabajo en este libro y, a veces, estoy a punto de tirar la toalla, porque me parece que nunca voy a terminarlo.

Origen

Es una frase propia del boxeo: cuando un entrenador tira la toalla, da a entender que su boxeador ha perdido la pelea.

Otras expresiones similares:
Arrojar la toalla / la esponja.

167. TIRAR LOS TEJOS

Intentar enamorar a otra persona, flirtear.

Pero, Antonio, ¿qué te pasa? ¿Somos amigos desde hace mucho tiempo y ahora me tiras los tejos? Yo pensaba que tenías novia y que te ibas a casar con ella.

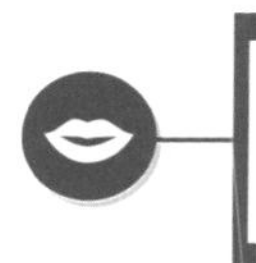

Para utilizarla:
Tirarle alguien los tejos a otra persona.
Carmen le está tirando los tejos a Pepe y él no quiere. ¡Con lo guapísima que es!

168. TOMAR EL PELO

Burlarse de alguien, engañarle.

Es muy difícil ser profesor. Los alumnos te toman el pelo y tú a veces no te das cuenta de eso.

Origen

Hay varias teorías sobre el origen de esta frase. Una se refiere al castigo que en tiempos se daba a algunos delincuentes y que consistía en cortarles el pelo al cero para que todo el mundo supiera su delito.
Adaptado de *Diccionario de frases hechas y dichos*

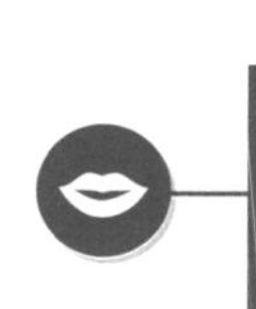

Para utilizarla:
Tomarle alguien el pelo a otra persona.
Mira, tú no me tomas el pelo a mí. Yo sé lo que estás haciendo.

169. TRAGAR LA TIERRA

Se dice de alguien a quien no se ve desde hace mucho tiempo o no frecuenta los lugares que visitaba antes.

Hombre, Alberto, ¿que te ha pasado? Has desaparecido como si te hubiera tragado la tierra y ahora apareces después de mucho tiempo. Cuéntame dónde has estado.

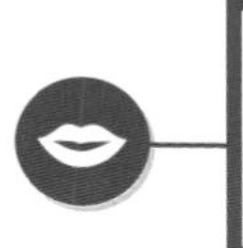

Para utilizarla:
Tragársele a alguien la tierra. (Como el sujeto "la tierra" es singular, el verbo va siempre en tercera persona singular).
Se ha tragado la tierra a Braulio, hace siglos que no lo veo.

170. UNTAR A ALGUIEN

Sobornar, dar dinero o cualquier otra compensación a alguien para conseguir lo que se desea.

- *¿Por qué están en la cárcel los propietarios de la empresa?*
- *Porque parece que untaron a un político para obtener un gran negocio, pero por fin se reveló todo y terminaron en la cárcel.*

Origen

Proviene del refrán "hay que untar para que el carro ande" o sea, hay que dar algo a cambio para que la cosa sea resuelta rápida y favorablemente.

Para utilizarla:
Untarle alguien a otra persona.
Sois unos sinvergüenzas. Mariano os ha untado a los dos y por eso ahora le dais el negocio a él.

171. VENDER HUMO

Vender ilusiones, hacer promesas falsas.

No puedo más con Luis. No trabaja, está todo el santo día fuera de casa vendiendo humo: que va a ganar mucho dinero, que me va a llevar a Perú de vacaciones. Es un mentiroso y un vago.

172. VER LAS ESTRELLAS

Sentir un dolor físico muy fuerte.

Ayer me pillé el pie derecho en el autobús y vi las estrellas.

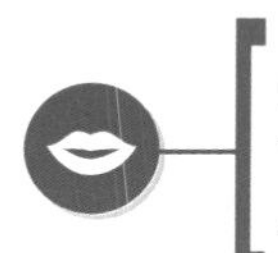

Para utilizarla:
Ver alguien las estrellas.
¡Uf, qué dolor! Yo he visto las estrellas.

173. VERLE LAS OREJAS AL LOBO

Darse cuenta de un peligro y cambiar, en consecuencia, de actitud.

- *¿Por qué conduces tan despacio? Si sigues así, no llegamos al teatro.*
- *Porque hace tiempo, conduciendo deprisa, casi me mato en un accidente. Desde que le vi las orejas al lobo conduzco más despacio, con más prudencia .*

Origen

Seguramente el dicho hace referencia a una historia de un cazador cobarde que se enorgullecía de haber visto al lobo cuando sólo le vio, y de lejos, las orejas.
Adaptado de *Diccionario de Frases hechas y dichos*

Para utilizarla:
Verle alguien las orejas al lobo.
Desde que nosotros vimos las orejas al lobo, hemos decidido ser más ordenados en nuestros gastos. Casi nos arruinamos.

174. VIVIR COMO UN PACHÁ

Vivir cómoda y lujosamente.

¡Qué suerte tienes! Vives en una casa grande con cuatro mujeres que te cuidan y se ocupan de ti: tu mujer y tres hijas. Vives como un pachá.

Otras expresiones similares:
Vivir a cuerpo de rey.
Vivir como un cura / rey / marajá / marqués...

175. VIVIR EN EL QUINTO PINO

Vivir una persona muy lejos.

Como no tenía mucho dinero me compré un piso en las afueras de la ciudad y mis amigos me vienen a visitar raras veces porque dicen que vivo en el quinto pino.

EJERCICIOS

I parte (desde el número 1 hasta el número 80)

1. MARCA LA RESPUESTA CORRECTA:

1. A otro ( ) con ese hueso.
   a) gato
   b) perro
   c) ratón
   Frase 1

2. Acostarse con las ( ).
   a) cigarras
   b) serpientes
   c) gallinas
   Frase 3

3. Arrimar el ascua a su ( ).
   a) langosta
   b) percebe
   c) sardina
   Frase 18

4. Atar los ( ) con longanizas.
   a) gallos
   b) cochinos
   c) perros
   Frase 21

5. Aquí hay ( ) encerrado.
   a) cordero
   b) gato
   c) gusano
   Frase 15

2. RELACIONA:

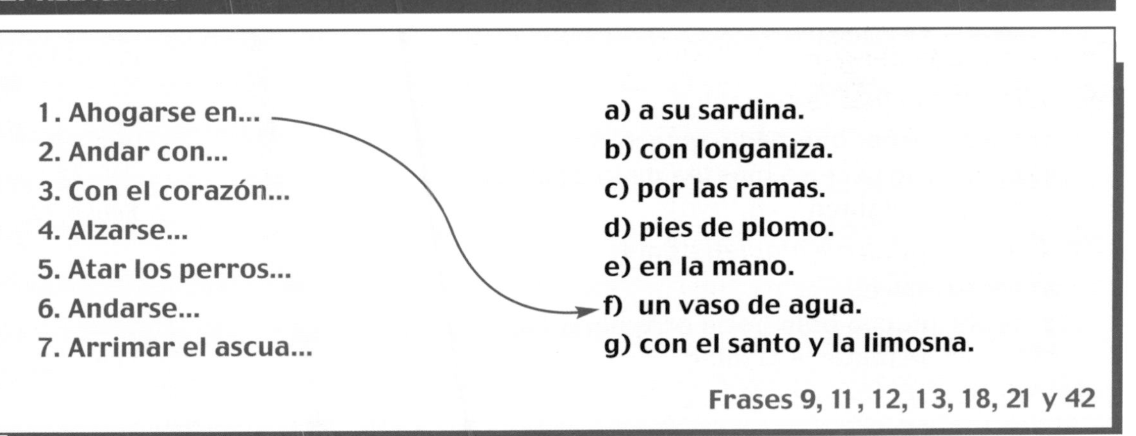

1. Ahogarse en...
2. Andar con...
3. Con el corazón...
4. Alzarse...
5. Atar los perros...
6. Andarse...
7. Arrimar el ascua...

a) a su sardina.
b) con longaniza.
c) por las ramas.
d) pies de plomo.
e) en la mano.
f) un vaso de agua.
g) con el santo y la limosna.

Frases 9, 11, 12, 13, 18, 21 y 42

3. Marca la respuesta correcta:

1. *Abrir la mano* significa...
   a) disminuir el rigor.
   b) gastar dinero.
   c) recibir cordialmente a alguien. Frase 2

2. *Armarse la gorda* significa...
   a) una mujer gorda se arma.
   b) organizarse un gran lío.
   c) ser una persona antipática. Frase 17

3. *Agarrarse a un clavo ardiendo* significa...
   a) quemarse.
   b) servirse de cualquier medio para salvarse.
   c) apagar un clavo que arde. Frase 6

4. *Aguantar carros y carretas* significa...
   a) estar harto de carros y carretas.
   b) soportar cosas desagradables con paciencia.
   c) no poder comprar carro ni carreta. Frase 7

5. *Ahí le aprieta el zapato* significa...
   a) llevar puestos unos zapatos pequeños.
   b) caerle el zapato a alguien sobre el pie.
   c) descubrir el punto más débil de alguien. Frase 8

6. *Andarse por las ramas* significa...
   a) perderse en explicaciones insignificantes.
   b) ir por las ramas caídas.
   c) ir al bosque para recoger las ramas. Frase 13

7. *Apretarse el cinturón* significa...
   a) abrochar el cinturón.
   b) ahorrar.
   c) doblar el cinturón. Frase 14

8. *Atar cabos* significa...
   a) atar la cuerda.
   b) llegar a una conclusión relacionando pistas.
   c) atar una barca en el muelle. Frase 19

9. *Bailar con la más fea* significa...
   a) hacer tareas que nadie quiere.
   b) bailar con la chica más fea de la discoteca.
   c) adular a alguien. Frase 22

10. *Beber la sangre a alguien* significa...
    a) ser vampiro.
    b) sentir mucho odio hacia otra persona.
    c) tratar de matar a alguien. Frase 25

4. Subraya la respuesta correcta:

1. Agachar *las manos / las orejas.* Frase 4
2. Bajar *la cabeza / la espalda.* Frase 23
3. Andar con *piernas / pies de plomo.* Frase 12
4. Armarse hasta *las narices / los dientes.* Frase 16
5. Atar *la mano / la lengua.* Frase 20
6. Bautismo de *llama / fuego.* Frase 24
7. Besar *la suela / el suelo.* Frase 26
8. Buscarle *las cosquillas / las costillas a alguien.* Frase 27
9. Chuparse *el dedo / la mano.* Frase 40

5. Rellena los huecos con la palabra adecuada:

1. Cantarle las ______ a alguien. Frase 37
2. Con el ______ en la mano. Frase 42
3. Agarrar el ______ por los cuernos. Frase 5
4. Alzarse con el ______ y la ______. Frase 11
5. Atar los perros con ______. Frase 21

6. Subraya la opción correcta:

1. Hoy no podemos salir porque caen *hachas / chuzos de punta.* Frase 28
2. Recoge tu habitación, parece *una caja / un cajón de sastre.* Frase 35
3. Anda, ayúdame, no se te van a caer *las coronas / los anillos.* Frase 34
4. Tengo que salir porque se me caerá *la casa / el techo encima.* Frase 33
5. Estos niños son muy listos. Cazan todo *al vuelo / de paso.* Frase 39
6. Esta noticia me viene como caída *del árbol / del cielo.* Frase 41
7. Hay que tener mucha valentía para cruzar *el charco / el pantano* sin tener trabajo asegurado. Frase 45
8. Lo que me estás diciendo no tiene ni pies ni cabeza. Se te han cruzado *las cuerdas / los cables.* Frase 46
9. El hijo del vecino está en la cárcel porque le pillaron con las manos *en la pasta / la masa.* Frase 43
10. Desde ahora en adelante soy yo la que corta *el atún / el bacalao.* Frase 44

7. ¿Qué significa? Marca la opción correcta:

1. *Cuando las ranas críen pelo.*

   a) Las ranas tienen el pelo largo.
   b) Indica que algo nunca va a ocurrir.
   c) Las ranas no son comestibles.

   Frase 47

2. *Cambiar de chaqueta.*

   a) Comprar una chaqueta nueva.
   b) Cambiar una chaqueta por otra cosa.
   c) Cambiar de opinión.

   Frase 36

3. *Caer en la cuenta.*

   a) Entender algo que no se sabía antes.
   b) Caerse sobre una cuenta.
   c) Ajustar las cuentas con alguien.

   Frase 29

4. *Caerse de un guindo.*

   a) Caerse de un árbol.
   b) No ser ingenuo.
   c) Estar loco.

   Frase 30

5. *Caerse del nido.*

   a) Dejar el hogar.
   b) Mostrar ignorancia de una cosa conocida.
   c) Caerse de un árbol.

   Frase 32

6. *Cargarle el mochuelo a otra persona.*

   a) Poner el mochuelo sobre el hombro de alguien.
   b) Responsabilizar a alguien de algo que no le corresponde.
   c) Odiar a alguien.

   Frase 38

8. ¿Qué frase emplearías en las siguientes situaciones?

1. No sé qué hacer. María me gusta mucho, pero me volvió a (   ).

   a) dar calabazas
   b) dar jabón
   c) dar con la puerta en las narices

   Frases 48, 51, 49

2. Nunca más voy a ir a la tienda de enfrente. Me (   ).

   a) dieron la lata
   b) dieron gato por liebre
   c) dieron con un canto en los dientes

   Frases 52, 50, 53

3. Jorge debe de estar enamorado. Últimamente (   ).

   a) está en las nubes
   b) está entre dos fuegos
   c) está al pie del cañón

   Frases 72, 74, 69

4. Enrique me ofendió ayer delante de todos. Que sepa que le (   ).

   a) ataré la lengua
   b) devolveré la pelota
   c) encontrará la horma de su zapato

   Frases 20, 54, 67

5. No sé qué hacer. Mi jefe, prácticamente, me chantajeó con unas condiciones que no puedo cumplir. Por eso (   ).

   a) estoy al pie del cañón
   b) estoy entre la espada y la pared
   c) estoy en mi salsa

   Frases 69, 75, 73

6. Para hacer este ejercicio es necesario que me (   ).

   a) eches una mano
   b) eches leña al fuego
   c) eches el gancho

   Frases 63, 59, 57

9. Contesta a las siguientes preguntas:

1. ¿Qué cosa tienes que echar para ayudar a alguien?
2. Si quieres no responsabilizarte de algo, ¿qué tienes que echar fuera?
3. ¿Qué tienes que echar para detener a un ladrón?
4. ¿A qué parte del cuerpo de otra persona tenemos que echarnos para pedir algo?
5. Si tienes que decidir algo, ¿dónde está la pelota?
6. ¿Por dónde no debe empezarse la casa?
7. ¿Qué tienes que encontrar para tener a alguien que te convenga más?

Frases 56, 58, 62, 64, 66, 67, 77

10. Rellena los huecos con una palabra:

1. Echar ________ a los cerdos. Frase 60
2. El mundo es un ________. Frase 65
3. Echar ________ y culebras. Frase 61
4. Cajón de ________. Frase 35
5. En época de las ________ gordas. Frase 71
6. Ahogarse en un ________ de agua. Frase 9
7. Enseñar los ________. Frase 68
8. Estar entre dos ________. Frase 74
9. Estar al ________ del cañón. Frase 69
10. Encontrar la ________ de su zapato. Frase 67

11. Relaciona los dichos con las frases y complétalas en la forma correcta:

1. Faltarle un tornillo a alguien.
2. Estar entre Pinto y Valdemoro.
3. Estar la pelota en el tejado.
4. Estar en el séptimo cielo.
5. Hablar por los codos.
6. Haber cuatro gatos.
7. Estar en su salsa.

a) Paco es muy feliz en su matrimonio. Dice que (______________________).

b) Estoy esperando la respuesta sobre las condiciones de la venta de mi casa. Yo ya he aceptado todo y ahora (______________) de los compradores.

c) No soporto a la novia de Fernando. (______________________) y no deja a nadie decir ni una sola palabra.

d) Me parece que a ese chico que conocimos ayer (______________). Me invitó a pasar las vacaciones con él como si fuera su novia.

e) Cristina está muy contenta. Dice que su nuevo trabajo le va muy bien y que en su nueva oficina (______________).

f) No sé qué hacer, aceptar o no la nueva propuesta de trabajo. Estoy (______________________).

g) El concierto de ayer estuvo muy bien. Es una lástima que (______________).

Frase 70, 73, 76, 77, 78, 79, 80

EJERCICIOS

II parte (desde el número 81 hasta el número 150)

1. ¿QUÉ ANIMAL FALTA?

1. Llevarse ( ) al agua.	Frase 103
2. Matar dos ( ) de un tiro.	Frase 109
3. Lágrimas de ( ).	Frase 96
4. Los mismos ( ) con distintos collares.	Frase 105
5. Ser la ( ) negra.	Frase 149
6. Levantar la ( ).	Frase 99
7. Llenar la cabeza de ( ).	Frase 101
8. Matar el ( ).	Frase 110
9. Pagar el ( ).	Frase 122
10. Pegarse como una ( ).	Frase 126

2. RELACIONA LOS DICHOS CON LAS FRASES Y COMPÉTALAS EN LA FORMA ADECUADA:

1. Montar un numerito.
2. Hacer puente.
3. Lavarse las manos.
4. Morder el anzuelo.
5. Mantenerse en sus trece.
6. Luchar con uñas y dientes.
7. Mandar a alguien al quinto pino.
8. Ir viento en popa.
9. Ir al grano.

a) Este proyecto es muy bueno y ( ) por él.

b) Yo le dije a Diego que no lo hiciera y, como no me hizo caso, yo me ( ).

c) ¿Por qué me has hecho venir? No tengo mucho tiempo y por eso déjate de rodeos y ( ).

d) ¡Qué chica más terca! Sabe que no tiene razón y a pesar de todo ( ).

e) Desde que monté mi propio negocio todo me ( ). Estoy muy contenta.

f) Por favor, cálmate y no me ( ) en medio de la calle. La gente nos está mirando.

g) ¡Qué tío tan pesado ! No me deja en paz. No que queda otro remedio que ( ).

h) Esta semana tendremos unas cortas vacaciones porque el jueves es fiesta y el director nos dijo que podíamos ( ) y empezar a trabajar el lunes.

i) Me contó una historia muy emocionante y yo ( ). Ahora veo que me ha engañado.

Frases 82, 86, 90, 98, 106, 107, 108, 112, 113

3. ¿Qué significan estas frases?

1. *Írsele a alguien el santo al cielo.*

   a) Estar de mala suerte.
   b) Estar de buen humor.
   c) Olvidar lo que se iba a decir. Frase 93

2. *Hacerle la cama a alguien.*

   a) Tramar algo en secreto.
   b) Hacer la cama después de dormir.
   c) Pedirle al carpintero que haga una cama. Frase 83

3. *Hinchársele a alguien las narices.*

   a) Tener la nariz hinchada.
   b) Enfadarse con alguien.
   c) Sospechar. Frase 85

4. *Irse por los cerros de Úbeda.*

   a) Hacer senderismo por los cerros de Úbeda.
   b) Viajar a Úbeda.
   c) Cambiar de tema de conversación. Frase 92

5. *Írsele a alguien la olla.*

   a) Estar loco.
   b) Caérsele a alguien la olla.
   c) Preparar una comida en la olla. Frase 94

6. *Hacerle sombra a alguien.*

   a) Proteger a alguien del sol.
   b) Impedir a alguien que prospere.
   c) Baja las persianas. Frase 84

7. *Ir de la Ceca a la Meca.*

   a) Ir de un lugar a otro sin parar.
   b) No encontrar nada en la Ceca y buscarlo en la Meca.
   c) Hacer un recorrido turístico. Frase 87

4. Contesta a las preguntas:

1. ¿Qué animal tienes que matar para satisfacer el hambre? Frase 110

2. Si quieres convencer a alguien de que cambie de opinión, ¿qué le lavas? Frase 97

3. Si consigues algo muy rápidamente, ¿a quien besas? Frase 100

4. Si quieres engañar a alguien, ¿adónde le llevas? Frase 102

5. Si consigues la simpatía de alguien, ¿dónde le metes? Frase 111

6. Si eres muy testarudo, ¿en qué te mantienes? Frase 108

7. Si te vas por lana, ¿cómo vuelves? Frase 88

8. Si haces algo peligroso, ¿con qué juegas? Frase 95

9. Si has conseguido algo difícil, ¿que animal has llevado al agua? Frase 103

10. Si has olvidado lo que ibas a decir, ¿quién se te ha ido al cielo? Frase 93

5. Marca con la respuesta correcta:

1. *Nadar y guardar la ropa* significa...

   a) nadar con la ropa puesta.
   b) nadar y dejar la ropa.
   c) aprovecharse de algo con el menor riesgo. Frase 115

2. *No ser nada del otro mundo* significa...

   a) no ser nada especial.
   b) no ser extraterrestre.
   c) no ser divertido. Frase 119

3. *Oler a cuerno quemado* significa...

   a) engañar a alguien.
   b) resultar una cosa sospechosa.
   c) oler mal una cosa. Frase 121

4. *Pasar al otro barrio* significa...

   a) pasear de un barrio a otro.
   b) morir.
   c) cambiar de dirección. Frase 123

5. *Poner el dedo en la llaga* significa...

a) señalar el origen de un problema.
b) hacerse daño con un dedo.
c) apretar una herida con el dedo. Frase 131

6. *Ponerse las botas* significa...

a) arreglarse para salir.
b) sacar beneficio de algo.
c) calzarse las botas. Frase 134

7. *Ponerse morado* significa...

a) saciarse.
b) ser de color morado.
c) pintar algo de color morado. Frase 135

8. *Sacar las castañas del fuego* significa...

a) sacarle a alguien de un apuro.
b) preparar las castañas para comer.
c) evitar un peligro. Frase 140

9. *Sacarle a alguien de sus casillas* significa...

a) hacer que alguien salga de su casa.
b) irritar a alguien.
c) jugar a La Oca. Frase 139

10. *Saltar chispas* significa...

a) encender el fuego.
b) provocar una situación tensa.
c) estar alegre. Frase 144

6. Subraya la respuesta correcta:

1. No chuparse ***el dedo / la mano.*** — Frase 40
2. No tener ***pelos / vellos*** en la lengua. — Frase 120
3. Pagar ***el gato / el pato.*** — Frase 122
4. Pasar la noche ***en negro / en blanco.*** — Frase 124
5. Pegarse como ***una lapa / una sanguijuela.*** — Frase 126
6. Por la puerta ***delantera / trasera.*** — Frase 136

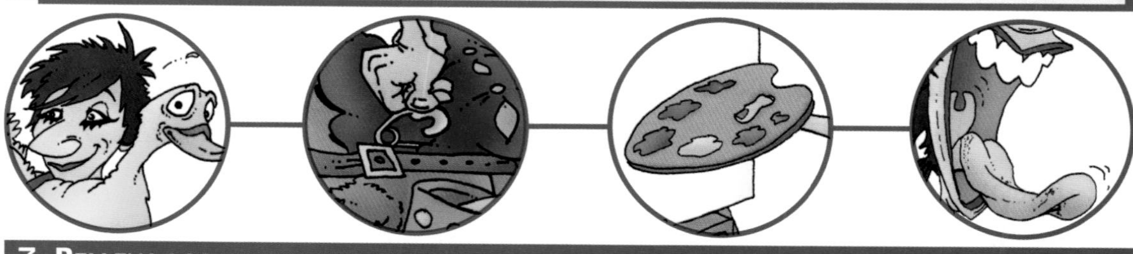

7. Rellena los huecos con la palabra adecuada:

1. Lo siento, no pueden entrar. La sala está tan llena de gente que no cabe ni un ( ). — Frase 116
2. Los alumnos estaban tan traviesos y no me hacían caso que en un momento me pregunté: ¿qué ( ) yo aquí? — Frase 117
3. Por fin me he enterado de que mi ex novio es una persona muy mala y ahora no puedo verlo ni en ( ). — Frase 118
4. Lo que me pides que te haga es tan imposible como pedirle ( ) al olmo. — Frase 125
5. Por favor, no me pongas los ( ) largos. Tengo mucha hambre y tú no dejas de hablar de la comida. — Frase 133
6. Es una persona tan buena y honesta que estoy dispuesta a poner la ( ) en el fuego por él. — Frase 132
7. Si nadie le hace caso a una persona, si nadie la respeta, esa persona es un ( ) a la izquierda. — Frase 150

8. Marca la respuesta adecuada:

1. Pegársele a alguien las ( ).

   a) almohadas
   b) colchonetas
   c) sábanas

   Frase 127

2. Sacarse un ( ) de la manga.

   a) pájaro
   b) as
   c) conejo

   Frase 141

3. Sacudirse las ( ).

   a) abejas
   b) hormigas
   c) moscas

   Frase 142

4. Ser el ( ) de todas las salsas.

   a) aceite
   b) perejil
   c) vinagre

   Frase 147

5. Ser ( ) de turco.

   a) pelo
   b) cabeza
   c) mano

   Frase 145

6. Ser la ( ) negra.

   a) oveja
   b) cabra
   c) yegua

   Frase 149

7. Ser de ( ) azul.

   a) pelo
   b) ojos
   c) sangre

   Frase 146

8. Ser un ( ) a la izquierda.

   a) tonto
   b) ingenuo
   c) cero

   Frase 150

9. Relaciona los dichos con las frases y complétalas en la forma correcta:

1. Perder el hilo.
2. Pisar huevos.
3. Quemarse las pestañas.
4. Perder las riendas.
5. Romperse los cuernos.
6. Salir de Málaga y entrar en Malagón.

a) He conseguido casi todo pero me costó mucho trabajo y tuve que (______________).

b) Anoche llegué tarde a casa pero, como todo el mundo ya dormía, tuve que entrar (______________).

c) Antonio es una persona muy buena pero, cuando (______________), no sabe lo que hace y es mejor evitarlo.

d) Puedes repetir lo que has dicho, por favor. Es un poco complicado y (______________).

e) Bueno, ya sé que tu trabajo no es bueno pero dejarlo para trabajar con Diego es como (______________).

f) La semana que viene tengo un examen muy importante del cual depende toda mi carrera y por eso tengo que (______________).

Frases 128, 129, 130, 137, 138, 143

EJERCICIOS

III parte (desde el número 151 hasta el número 175)

1. ¿QUÉ PARTE DEL CUERPO FALTA?

1. Subírsele a alguien los humos a la ( ).

 a) cabeza
 b) cara
 c) nariz

Frase 152

2. Tener ( ) dura.

 a) mejilla
 b) cara
 c) lengua

Frase 154

3. Tener las ( ) largas.

 a) orejas
 b) manos
 c) piernas

Frase 160

4. Tener la ( ) larga.

 a) melena
 b) cara
 c) lengua

Frase 157

5. Tener la mosca detrás de la ( ).

 a) nuca
 b) cabeza
 c) oreja

Frase 158

6. Tenerle a alguien entre ( ).

 a) ojo y ojo
 b) brazo y brazo
 c) ceja y ceja

Frase 156

7. Tirar de la ( ).

 a) mano
 b) lengua
 c) espalda

Frase 164

8. Tomarle el ( ) a alguien.

 a) pies
 b) codo
 c) pelo

Frase 168

2. MARCA LA RESPUESTA CORRECTA:

1. *Tener buena percha* significa...

a) tener muchas perchas en el armario.
b) tener buen aspecto físico.
c) tener una percha hecha de madera. Frase 153

2. *Tener la sartén por el mango* significa...

a) tener la sartén en la mano.
b) dar un sartenazo.
c) controlar una situación. Frase 159

3. *Tener muchas tablas* significa...

a) preparar tablas para hacer un armario.
b) actuar en el teatro.
c) tener mucha experiencia. Frase 162

4. *Tirar la toalla* significa...

a) meter la toalla sucia en la lavadora.
b) darse por vencido.
c) desafiar a alguien. Frase 166

5. *Tragarle la tierra a alguien* significa...

a) caer en un hueco.
b) desaparecer.
c) desaparecer en la oscuridad. Frase 169

6. *Ver las estrellas* significa...

a) mirar las estrellas.
b) sentir un gran dolor físico.
c) observar el universo. Frase 172

7. *Vivir en el quinto pino* significa...

a) vivir muy cerca.
b) vivir muy lejos.
c) vivir en el bosque. Frase 175

3. Completa las frases:

1. Si nadie le hace caso a una persona, si nadie la respeta, esa persona es un (________) a la izquierda. — Frase 150

2. Si un hombre viejo tira los tejos a las chicas jóvenes y las invita a salir, es un viejo (________). — Frase 151

3. Si una persona tiene mucha (poca) suerte, se dice que tiene el (________) de cara (espalda). — Frase 155

4. Si una persona es demasiado permisiva y tolerante, es que tiene (________) ancha. — Frase 161

5. Si una persona es graciosa y divertida, esa persona tiene (________). — Frase 163

6. Si una persona te invita a salir y quiere tener una relación amorosa contigo, esa persona te (________). — Frase 167

7. Si una persona vive cómoda y lujosamente, esa persona vive como un (________). — Frase 174

8. Si una persona ha visto un peligro de cerca, es que ha visto las (________) al lobo. — Frase 173

9. Si una persona quiere sobornar a alguien para conseguir algo, es que esa persona le (________). — Frase 170

10. Si una persona te da promesas falsas, esa persona vende (________). — Frase 171

REFRANES

1. A CABALLO REGALADO, NO LE MIRES EL DIENTE

Este refrán aconseja aceptar las cosas regaladas con agradecimiento y no buscar defectos ni preguntar por su valor.

- *¿Qué te pasa?*
- *Nada. Estoy mirando los regalos de mi cumpleaños y veo que Jaime me ha traído un disco que no me gusta mucho.*
- *Hombre, a caballo regalado, no le mires el diente. Además, ese disco está muy bien.*

Origen

Los tratantes de ganado acostumbran a mirarles los dientes a los caballos para saber la edad y si están sanos antes de comprarlos. Es una forma de comprobar la calidad y el valor del mismo.

2. A CADA CERDO LE LLEGA SU SAN MARTÍN

Es lo mismo que decir que a cada uno le llegará la hora de pagar si ha actuado de forma incorrecta o mala.

Ese descarado de Luis no deja de insultarnos, pero se olvida de que a cada cerdo le llega su San Martín.

Origen

El refrán alude a la fiesta de San Martín que se celebra el 11 de noviembre, cuando suele empezar la matanza del cerdo.

3. A DIOS ROGANDO Y CON EL MAZO DANDO

Aconseja el esfuerzo personal como el mejor medio para conseguir algo y no esperar la ayuda de Dios o de otras personas.

- *No sé qué me pasa últimamente. Todo me va mal.*
- *Bueno, sé sincero. No trabajas nada y esperas que el éxito te caiga del cielo. Hombre, a Dios rogando y con el mazo dando y verás como te irá bien.*

4. A ENEMIGO QUE HUYE, PUENTE DE PLATA

Expresa la satisfacción de perder de vista a alguien desagradable.

- *La verdad es que no te entiendo. Ayer, después de pelearte con Arturo y después de lo que te había hecho, le dijiste a tu hermano que le llevara a casa.*
- *Sí, es cierto. Porque a enemigo que huye, puente de plata. A veces es mejor hacerlo así que soportar sus quejas e insultos.*

Origen

Este refrán que, según parece, proviene del siglo XV y se atribuye al jefe de los ejércitos de los Reyes Católicos, da a entender que a veces es mejor ayudar al enemigo a huir y, si es necesario, construirle un puente para evitar luchar contra él. De esta manera se aconseja aceptar los métodos pacíficos en vez de bélicos.

5. A FALTA DE PAN, BUENAS SON TORTAS

Recomienda irónicamente conformarse con lo que se tiene a falta de otra cosa mejor.

- *Oye, hija, lo siento mucho pero no tengo dinero para comprarte la bici que me has pedido. Por eso te traigo este patinete. Espero que te guste.*
- *No te preocupes, mamá. A falta de pan, buenas son tortas.*

Origen

Las tortas eran un pan de mala calidad, hecho de harina y agua que comían las personas pobres.

6. A LA CAMA NO TE IRÁS, SIN SABER UNA COSA MÁS

Aconseja aprender cada día algo nuevo. También se dice cuando se aprende algo nuevo o cuando se conoce algo inesperado.

- *¿Y tú, cómo sabes todo esto? Siempre que hablamos de algo, tú conoces el tema y puedes explicar cualquier cosa.*
- *Eso sí, tienes razón. Si tú quieres también saber mucho, es fácil. Tienes que leer, estudiar e investigar cosas. O sea a la cama no te irás, sin saber una cosa más.*

7. A MAL TIEMPO, BUENA CARA

Aconseja recibir con tranquilidad y paciencia las contrariedades que nos trae la vida. Es mejor afrontarlas con buen ánimo, ya que no podemos evitarlas.

- *¿Por qué estás de mal humor?*
- *Todo me va mal. Me han despedido, me han...*
- *Basta, Luis. A mal tiempo, buena cara. Ya encontrarás otro trabajo.*

8. ANDE YO CALIENTE Y RÍASE LA GENTE

Se aplica a las personas que prefieren su comodidad y su gusto al buen parecer. La opinión de los demás no les importa.

- *Hija, no puedes salir así a la calle.*
- *¿Por qué no? ¿Qué le falta a mi chándal? Me siento muy cómoda en él.*
- *Pero, ¿qué dirá la gente?*
- *Me da igual. Ande yo caliente y ríase la gente.*

9. AQUÍ EL QUE NO CORRE, VUELA

Comentario que se hace para dar a entender que una persona está muy bien informada sobre un asunto y dispuesta a actuar con rapidez para sacar provecho como otros.

Si no te das cuenta de qué se trata, los demás se llevarán el premio delante de tus narices. Sabes muy bien que el que no corre, vuela.

10. AUNQUE LA MONA SE VISTA DE SEDA, MONA SE QUEDA

Da a entender que es inútil tratar de esconder bajo la riqueza defectos e imperfecciones que una persona tiene. A pesar de todo, ella se queda como es.

- *¿Por qué te ríes?*
- *Has visto a nuestra vecina. Se ha puesto un sombrero y unos zapatos con tacones altos. De pronto decidió ser una gran dama.*
- *Puede decidir lo que quiera. Aunque la mona se vista de seda, mona se queda.*

11. CADA MAESTRILLO TIENE SU LIBRILLO

Indica que cada persona tiene su modo de pensar y de hacer cosas y se usa como la respuesta a los que quieren imponer su método como el único posible y como el mejor.

- *No quiero meterme donde no me llaman pero creo que deberías hacerlo de otro modo. Yo lo haría...*
- *No me importa tu opinión. Tú lo haces de un modo, yo de otro y... en fin, cada maestrillo tiene su librillo.*

12. CADA OLLERO ALABA SU PUCHERO

Da a entender que todos alabamos nuestras cosas, aunque no lo merezcan, es decir, tendemos a sobrestimar lo nuestro. También quiere decir que cada comerciante alaba exageradamente lo que vende.

- *Ese tío me ha engañado. Me ha dicho que su coche es fabuloso, que está casi nuevo, que nunca ha tenido un accidente y...*
- *Sí, sí, hombre. Cada ollero alaba su puchero. ¿Cómo has podido tragarte tantas mentiras? No lo entiendo.*

13. CAE EN LA CUEVA EL QUE A OTRO LLEVA A ELLA

Indica que a veces el que quiere engañar a otra persona cae en la trampa y se convierte en la persona engañada y en la víctima de su propia malicia.

- *Ayer despidieron a Alfonso y dicen que la culpa es suya.*
- *Sí, es verdad. En realidad Alfonso se fue al jefe para hacer que me despidieran a mí. Le contó una sarta de mentiras. Pero al final, el jefe descubrió la verdad y en vez de despedirme a mí le despidió a él.*
- *Siempre es así. Cae en la cueva el que a otro lleva a ella.*

14. CASA CON DOS PUERTAS MALA ES DE GUARDAR

Sólo se emplea en sentido literal.

- *Ayer robaron a los Luarca y eso que tienen varias alarmas y toda la protección. Pero entraron por la puerta trasera que no tiene alarma.*
- *Casa con dos puertas mala es de guardar.*

15. CON PAN Y VINO SE ANDA EL CAMINO

En general da a entender que las cosas se realizan bien y se logra un buen resultado si se tienen los medios adecuados y las condiciones apropiadas.

- *Es imposible que lo hayas hecho tan bien y tan rápido.*
- *No te sorprendas. Con las condiciones y la ayuda que tuve, era muy fácil.*
- *Sí, ahora veo. Con pan y vino se anda el camino.*

16. CRÍA CUERVOS Y TE SACARÁN LOS OJOS

Critica la ingratitud de algunas personas a las que se ha tratado bien.

- *¿Por que estás tan enfadada?*
- *Porque no puedo entender que una persona sea tan desagradecida después de todo lo que hice por ella.*
- *Cría cuervos y te sacarán los ojos.*

17. CUANDO EL DIABLO NO TIENE QUE HACER, CON EL RABO MATA MOSCAS

Se aplica a las personas que tienen demasiado tiempo libre y lo gastan en cosas y acciones inútiles.

- *No sé qué le pasa a mi madre. Toda la mañana está limpiando la casa aunque ayer lo hizo la asistenta.*
- *Es evidente que se aburre. Cuando el diablo no tiene que hacer, con el rabo mata moscas.*

18. CUANDO EL GATO NO ESTÁ, LOS RATONES BAILAN

Se refiere a los empleados (en una oficina, empresa, etc.) que aprovechan la ausencia de sus jefes para divertirse y no trabajar.

- *Esta semana ha sido fabulosa. El jefe no ha estado y nosotros hemos hecho todo lo que nos daba la gana. Hemos llegado tarde al trabajo y hemos salido antes.*
- *Bueno, cuando el gato no está, los ratones bailan.*

19. CUANDO LAS BARBAS DE TU VECINO VEAS PELAR, PON LAS TUYAS A REMOJAR

Indica que se debe aprender de lo que le sucede a los demás y tomar las medidas correspondientes, porque lo mismo nos puede pasar a nosotros.

- *Estoy desesperada. Me despidieron sin aviso, así de pronto.*
- *No es sin aviso. La semana pasada despidieron a 6 colegas tuyos y tu tendrías que haberte preparado. Sabes que, cuando las barbas de tu vecino veas pelar, pon las tuyas a remojar.*

20. DAR EL PIE Y TOMARSE LA MANO

Advierte de que algunas personas pueden abusar de nuestra generosidad, les concedes un favor y te piden muchos más.

- *¿Por qué estás enfadado?*
- *Porque me sacan de quicio las personas desagradecidas. El otro día le dejé a Antonio mi coche una semana. Ahora me llama y me pide que se lo deje para ir de vacaciones.*
- *Le das el pie y se toma la mano.*

21. DE MUY ALTO, GRANDES CAÍDAS SE DAN

Da a entender que, cuanto más rápida es la subida y más elevada la posición de una persona, tanto más dolorosa le resulta la caída y la pérdida de sus privilegios.

No soporto a Begoña. Como jefa es un desastre. Nos maltrata a todos como si fuera la directora general. Con este comportamiento no creo que dure mucho. Pero se olvida de que de muy alto, grandes caídas se dan.

22. DE NOCHE TODOS LOS GATOS SON PARDOS

Explica que en la oscuridad o sin luz las personas o cosas parecen iguales y no se notan sus defectos.

- *Araceli, ¿por qué no te vas con nosotros esta noche a la fiesta de Elena?*
- *Porque no tengo vestido nuevo y no quiero sentirme incómoda.*
- *Pero si nadie se fijará si tu vestido es nuevo o no. Además de noche todos los gatos son pardos.*

23. DESAFORTUNADO EN EL JUEGO, AFORTUNADO EN AMORES

Se dice con ironía o como consuelo a los que pierden en los juegos de cartas o de azar.

- *Ayer perdí 500 euros en el casino.*
- *Hombre, no te pongas así. Desafortunado en el juego, afortunado en amores.*
- *¡Vaya consuelo!*

24. DESNUDAR A UN SANTO PARA VESTIR A OTRO

Es solucionar un problema creando otro.

- *¿Resolviste el problema de la deuda que tienes con tu padrino?*
• *Sí, claro.*
- *¿Cómo? No sabía que tuvieras tanto dinero.*
• *No lo tengo. Se lo pedí prestado a un tío de mi madre para devolvérselo a mi padrino.*
- *Pero esto es como desnudar a un santo para vestir a otro. En realidad no resolviste nada.*

25. DINERO LLAMA DINERO

Explica que la persona que tiene dinero tiene más facilidad de emprender negocios o inversiones que le pueden traer más dinero.

- *¿Has visto lo mucho que Miguel ganó en su última inversión?*
• *No me extraña. Cuanto más dinero inviertes, más ganas. Dinero llama dinero.*

26. ¿DÓNDE VA VICENTE? DONDE VA LA GENTE

Critica a las personas que carecen de iniciativa y opinión personal sobre un tema y aceptan sin pensar mucho la opinión mayoritaria.

- *Pero, ¿es que nunca tienes tu propia opinión? ¿Por qué no criticaste a Alberto por lo que había hecho?*
• *Porque todo el mundo estaba callado, lo que me hizo pensar que no era necesario criticarlo.*
- *Tú, como siempre, ¿dónde va Vicente? Donde va la gente.*

27. EL QUE A BUEN ÁRBOL SE ARRIMA, BUENA SOMBRA LE COBIJA

Señala la importancia de tener apoyo y protección de personas poderosas e influyentes y las ventajas que esto conlleva.

- *Por muy inteligente que sea, por muchos títulos que tenga no prospera porque no tiene a nadie que le ayude. Y a Jorge que es un vago y perezoso le ha promovido porque el director es padrino suyo.*
- *Sí, es verdad. Siempre ha sido así. El que a buen árbol se arrima, buena sombra le cobija.*

28. EL QUE PARTE Y REPARTE, SE QUEDA CON LA MEJOR PARTE

Advierte que a veces el encargado de hacer la repartición se queda con la mejor parte. Como es poderoso, tiene a su alcance muchas cosas buenas y, en vez de repartirlas, a menudo se queda con ellas.

- *Roberto, no es justo cómo repartes la tarta. Dame a mí un poco de estos adornos de azúcar. Tú siempre te quedas con ellos.*
- *Sí, hermanita, es así. El que parte y reparte se queda con la mejor parte. Pero, te daré un poco, no te preocupes.*

29. EL QUE SE VISTE DE VERDE, POR GUAPO SE TIENE

Sólo se emplea en su sentido literal.

- *¡Qué presumido es Beltrán, siempre con su traje verde!*
- *Sí, hombre, sí. El que se viste de verde, por guapo se tiene.*

30. EN BOCA CERRADA NO ENTRAN MOSCAS

Advierte que a veces es mejor callar que dar nuestra opinión.

- *¿Por qué no has comentado lo de Rocío?*
- *Porque la vez pasada, cuando lo hice, ella se enfadó conmigo. Así que me di cuenta de que en boca cerrada no entran moscas.*

31. GATO CON GUANTES NO CAZA RATONES

Expresa lo difícil que es hacer algunas cosas con miramientos, especialmente para la persona que no está acostumbrada a hacerlo.

Cristina, no tengas tantos reparos, díselo todo a tu suegra y te sentirás mejor. Yo sé que tú eres muy educada y no quieres ofenderla. Pero gato con guantes no caza ratones. Tienes que ser por una vez un poco ruda y te librarás de ella.

32. LA CABRA SIEMPRE TIRA AL MONTE

Da a entender que cada persona, a pesar de tratar de hacer algo contra su naturaleza, acaba actuando de acuerdo con ella. Tiene sentido peyorativo.

- *No sé por qué Pilar y Celia piensan que Julio ha robado en su casa. La verdad es que una vez robó en la casa de sus amigos, pero últimamente se ha convertido en un chico muy decente.*
- *No. Te equivocas. La cabra siempre tira al monte.*

33. MAL DE MUCHOS, CONSUELO DE TONTOS

Señala que sólo los pobres de espíritu se consuelan pensando que sus desgracias también les ocurren a los demás.

- *Estoy fatal. Me robaron, perdí el móvil y no pude ir a la fiesta de Marisa. Pero a Antonio le pasó casi lo mismo y a...*
- *Para, para... No me digas que por eso te sientes mejor.*
- *Sí, me siento mejor. Veo que no soy la única.*
- *Pero chica, mal de muchos, consuelo de tontos.*

34. MÁS VALE PÁJARO EN MANO QUE CIENTO VOLANDO

Aconseja aceptar las cosas seguras, aunque sean pequeñas, en vez de buscar cosas mejores pero inseguras con el riesgo de quedarse sin nada.

- *¿Sabes que me ha pasado? Me concedieron una beca para ir a España pero, como la cantidad no es grande, no la acepté y estoy esperando otra que me prometieron y con la que podría vivir mejor.*
- *Yo que tú, la habría aceptado. Más vale pájaro en mano que ciento volando.*

35. NO SE HIZO LA MIEL PARA LA BOCA DEL ASNO

Reprende a las personas que rechazan las mejores cosas por no saber apreciarlas. Al mismo tiempo aconseja no ofrecerles las cosas de valor, ya que no las aprecian y por tanto, no podrán disfrutarlas.

- *Le dije a Elvira que eligiera entre un collar de perlas y unos pendientes de oro por su cumpleaños pero ella eligió un collar de bisutería de mala calidad.*
- *Siempre te digo que no se hizo la miel para la boca del asno y tú no me haces caso.*

36. PERRO QUE ANDA ENCUENTRA HUESO

Da a entender que, si algo se desea de verdad, hay que buscarlo y no esperar que venga solo.

- *Tú siempre tienes más suerte que yo. Volviste a encontrar trabajo y yo no.*
- *Claro, perro que anda encuentra hueso. Si lo buscaras y no estuvieras todo el día metida en la cama, lo encontrarías.*

37. QUIEN COME CARNE, QUE ROA EL HUESO

Significa que uno debe llevar tanto los beneficios y provechos de un empleo, negocio o cargo como las incomodidades que este conlleva.

- *¿Por qué te quejas? Si quieres ser el jefe y disfrutar de los beneficios, tienes que aceptar la responsabilidad en caso de que algo vaya mal.*
- *Sí, lo sé, lo sé, tienes razón. Quien come carne, que roa el hueso.*

38. QUIEN COME Y CANTA, ALGÚN SENTIDO LE FALTA

Aconseja no cantar durante la comida porque en España se considera de mala educación hacer estas dos cosas a la vez.

- *Hija, cómete eso y no cantes.*
- *¿Por qué mamá? Estoy de buen humor y tengo ganas de cantar.*
- *Puedes cantar pero después de comer. Porque quien come y canta, algún sentido le falta. Espero que a ti no te falte nada.*

39. QUIEN SE PICA, AJOS COME

Indica que, si una persona se siente ofendida por algo dicho de paso o casualmente, no importa.

- *¿Has visto cómo se enfadó Rafael al oír lo de los problemas en su empresa provocados por algunas acciones imprudentes de sus superiores?*
- *Sí, lo he visto. Es que es muy susceptible, pero quien se pica, ajos come.*

40. TODOS LOS CAMINOS CONDUCEN A ROMA

Indica que se puede llegar al mismo fin por distintos caminos.

- *Vicky, me parece que nos hemos perdido.*
- *No te preocupes, todos los caminos conducen a Roma. Llegaremos con un pequeño retraso, pero llegaremos.*

41. UN CLAVO SACA OTRO CLAVO

Indica que a veces una cosa mala se supera con la aparición de una nueva que hace olvidar la primera que molestaba.

- *Estoy desesperada. Mi novio me dejó y se fue con otra. No me voy a enamorar más.*
- *No, mujer, te equivocas. Un clavo saca otro clavo. Tienes que enamorarte para olvidar lo que te pasó.*

42. UN SOLO GOLPE NO DERRIBA UN ROBLE

Enseña que las cosas no se pueden conseguir con un solo intento sino con la constancia y paciencia.

No estés triste. Esta es la primera vez que lo haces y, si no lo has conseguido, vuelve a intentarlo. Un solo golpe no derriba un roble. Ten paciencia y lo lograrás.

43. UNOS NACEN CON ESTRELLA Y OTROS NACEN ESTRELLADOS

Da a entender la distinta suerte que acompaña a las personas en la vida.

- *¡Qué mala suerte tengo! El trabajo me va mal y a ese Bertín le va cada vez mejor.*
- *Lo siento, pero la vida es así: unos nacen con estrella y otros nacen estrellados.*
- *¿Y por qué nacería yo estrellado?*

44. UNOS TIENEN LA FAMA Y OTROS CARDAN LA LANA

Este proverbio señala que a veces hay personas que trabajan mucho pero las alabanzas y los elogios los reciben otros.

- *Ayer vi en la prensa que el arquitecto Morales y su esposa ganaron un premio de 50.000 euros por su nueva obra. A mí no me mencionaron aunque yo fui la que había concebido todo y había hecho la mayor parte del proyecto.*
- *¡Qué le vamos a hacer! Unos tienen la fama y otros cardan la lana.*

45. ZAPATERO, A TUS ZAPATOS

Aconseja no meterse en cosas en las que no se tiene experiencia o de las que no se sabe.

- *Yo en tu lugar compraría las acciones y las...*
- *Cállate, por favor y no te metas en mis cosas. Tú eres médico y no economista. Como dice el refrán: zapatero, a tus zapatos.*
- *Perdona, tienes razón.*

EJERCICIOS

1. MARCA LA RESPUESTA ADECUADA:

1. A ______ regalado no le mires el diente.
   a) lobo
   b) caballo
   c) cerdo

Refrán 1

2. Dar el ______ se toma la mano.
   a) ojo
   b) codo
   c) pie

Refrán 20

3. Aunque la ______ se vista de seda, ______ se queda.
   a) tigresa
   b) jirafa
   c) mona

Refrán 10

4. Cría ______ y te sacarán los ojos.
   a) palomas
   b) cuervos
   c) loros

Refrán 16

5. Cuando el ______ no está, los ratones bailan.
   a) perro
   b) gato
   c) gallo

Refrán 18

2. RELACIONA:

1. A Dios rogando...	a) algún sentido le falta.
2. A falta de pan...	b) se anda el camino.
3. Ande yo caliente...	c) tiene su librillo.
4. A la cama no te irás...	d) y con el mazo dando.
5. Quien come y canta...	e) el que a otro lleva a ella.
6. A enemigo que huye...	f) y ríase la gente.
7. Cada maestrillo...	g) mala es de guardar.
8. Con pan y vino...	h) buenas son tortas.
9. Casa con dos puertas...	i) sin saber una cosa más.
10. Cae en la cueva...	j) puente de plata.

Refranes 3, 4, 5, 6, 8, 11, 13, 14, 15, 38

3. Subraya la respuesta correcta:

1. A mal tiempo ***mala cara / buena cara***. Refrán 7
2. Aquí el que no ***baila / corre***, vuela. Refrán 9
3. Cada ollero alaba su ***cochero / puchero***. Refrán 12
4. Cuando el diablo no tiene que hacer, con el ***rabo / brazo*** mata moscas. Refrán 17
5. Cuando las ***barbas / melenas*** de tu vecino veas pelar, pon las tuyas a remojar. Refrán 19
6. ***Vestir / desnudar*** a un santo para ***vestir / desnudar*** a otro. Refrán 24

4. Explica el significado de los siguientes refranes:

1. A caballo regalado no le mires el diente. Refrán 1
2. Aunque la mona se vista de seda, mona se queda. Refrán 10
3. Cada ollero alaba su puchero. Refrán 12
4. Cuando el diablo no tiene que hacer, con el rabo mata moscas. Refrán 17
5. Cuando las barbas de tu vecino veas pelar, pon las tuyas a remojar. Refrán 19

5. Marca la respuesta correcta:

1. *De muy alto, grandes caídas se dan* significa:

   a) cuando una persona se cae de un lugar alto, se hace mucho daño.

   b) cuando una persona tiene una posición elevada, la pérdida de esta posición es muy dolorosa.

   c) si algo cae de un lugar muy alto, provoca mucho ruido.

   Refrán 21

2. *No se hizo la miel para la boca de asno* significa:

   a) el asno no come miel.

   b) reprende a los que desprecian lo bueno.

   c) alaba a los que eligen cosas buenas y rechazan cosas malas.

   Refrán 35

3. *Quien come carne, que roa el hueso* significa:

   a) aceptar tanto un cargo importate como las incomodidades que éste conlleva.

   b) la carne sin hueso no tiene buen mucho sabor.

   c) quien tiene el poder en sus manos sólo disfruta de las utilidades y provechos.

   Refrán 37

4. *Todos los caminos conducen a Roma* significa:

   a) si quieres viajar, Roma es el mejor sitio.

   b) Roma es el centro del mundo.

   c) al mismo fin puedes llegar por distintos caminos.

   Refrán 40

5. *Un clavo saca otro clavo* significa:

   a) algunas veces es posible superar una situación mala con la aparición de otra semejante o con medios semejantes.

   b) si se pierde un clavo hay que sacar otro para terminar el trabajo.

   c) un problema provoca otro.

   Refrán 41

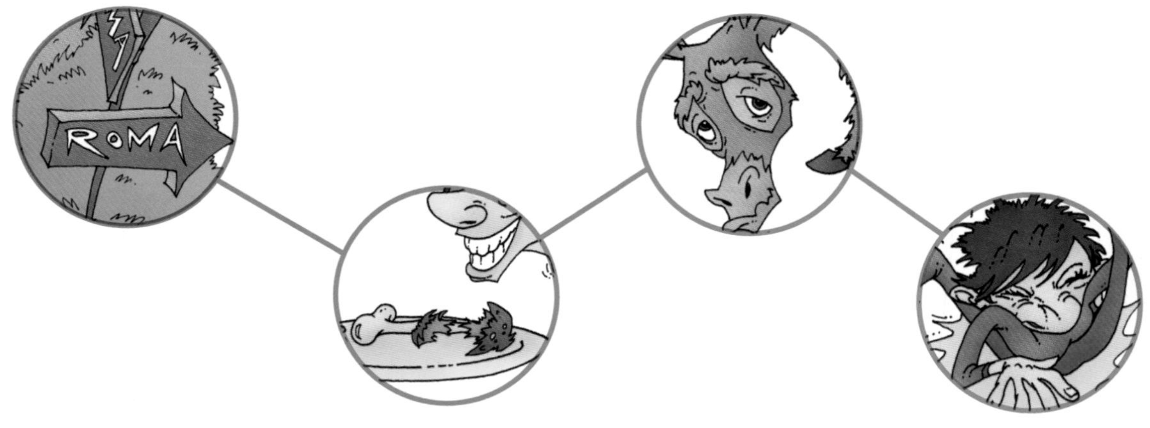

6. ¿Qué refrán utilizarías en estas situaciones?

1. Mujer, mejor que te calles. Sabes que (______________________).

a) en boca cerrada no entran moscas. Refrán 30
b) el que parte y reparte se queda con la mejor parte. Refrán 28
c) el que a buen árbol se arrima buena sombra le cobija. Refrán 27

2. – No sé qué hacer. Me ofrecen ahora un trabajo seguro pero poco remunerado. A mí no me gusta. Esperaré un poco más a ver si tienen otro mejor.
– Yo creo que (______________________).

a) perro que anda encuentra hueso. Refrán 36
b) más vale pájaro en mano que ciento volando. Refrán 34
c) unos tienen la fama y otros cardan la lana. Refrán 44

3. – Enrique no sabe trabajar y además es un vago. Pero siempre se salva y no sé cómo.
– ¿Cómo no lo sabes? El director es muy amigo suyo y claro es conocido que (______________________).

a) la cabra siempre tira al monte. Refrán 32
b) el que a buen árbol se arrima buena sombra le cobija. Refrán 27
c) el que parte y reparte se queda con la mejor parte. Refrán 28

4. No te pongas nerviosa. Tranquilízate y trata de hacerlo de nuevo. Sabes que (______________________).

a) gato con guantes no caza ratones. Refrán 31
b) la cabra siempre tira al monte. Refrán 32
c) un solo golpe no derriba un roble. Refrán 42

5. – Ayer perdí mucho dinero en el casino.
– Pero ¿por qué te preocupas? Me gustaría tener tu suerte porque sabes que dicen que (______________________).

a) mal de muchos, consuelo de tontos. Refrán 33
b) desafortunado en el juego, afortunado en amores. Refrán 23
c) quien se pica, ajos come. Refrán 39

7. Termina el refrán:

1. Zapatero ______. Refrán 45
2. Dinero ______. Refrán 25
3. Unos nacen con estrella ______. Refrán 43
4. La cabra siempre ______. Refrán 32
5. Quien se pica ______. Refrán 39
6. En boca cerrada ______. Refrán 30
7. De muy alto, ______. Refrán 21
8. Perro que anda ______. Refrán 36
9. Gato con guantes ______. Refrán 31
10. Más vale pájaro en mano ______. Refrán 34

8. Contesta a las siguientes preguntas:

1. ¿Dónde va Vicente? ______ Refrán 26
2. ¿Quién come ajos? ______ Refrán 39
3. ¿De qué color son los gatos de noche? ______ Refrán 22
4. ¿Qué le llega a cada cerdo? ______ Refrán 2
5. ¿Quién cae en la cueva? ______ Refrán 13
6. ¿Quién se queda con la mejor parte? ______ Refrán 28
7. ¿Quién se tiene por guapo? ______ Refrán 29

SOLUCIONES

Frases hechas

I parte (p.83 hasta p.89)

1.	1.b 2.c 3.c 4.c 5.b.
2.	1.f 2.d 3.e 4.g 5.b 6.c 7.a.
3.	1.a 2.b 3.b 4.b 5.c 6.a 7.b 8.b 9.a 10.b.
4.	1. las orejas 2. la cabeza 3. pies 4. los dientes 5. la lengua 6. fuego 7. el suelo 8. las cosquillas 9. el dedo.
5.	1. cuarenta 2. corazón 3. toro 4. santo, limosna 5. longanizas.
6.	1. chuzos 2. un cajón 3. los anillos 4. la casa 5. al vuelo 6. del cielo 7. el charco 8. los cables 9. la masa 10. el bacalao.
7.	1.b 2.c 3.a 4.b 5.b 6.b.
8.	1.a 2.b 3.a 4.b 5.b 6.a.
9.	1. Un capote. 2. Balones. 3. El guante. 4. A los pies. 5. En el tejado. 6. Por el tejado. 7. La horma de su zapato.
10.	1. margaritas 2. pañuelo 3. sapos 4. sastre 5. vacas 6. vaso 7. dientes 8. fuegos 9. pie 10. horma.
11.	1.d, le falta un tornillo 2.f, estoy entre Pinto y Valdemoro 3.b, la pelota está en su tejado 4.a, está en el séptimo cielo 5.c, habla por los codos 6.g, hubiera cuatro gatos 7.e, está en su salsa.

II parte (p. 90 hasta p. 96)

1.	1. el gato 2. pájaros 3. cocodrilo 4. perros 5. oveja 6. liebre 7. pájaros 8. gusanillo 9. pato 10. lapa.
2.	1.f, montes un numerito 2.h, hacer puente 3.b, yo me lavo las manos 4.i, yo mordí el anzuelo 5.d, se mantiene en sus trece 6.a, lucharé con uñas y dientes 7.g, mandarle al quinto pino 8.e, va viento en popa 9.c, ve al grano.
3.	1.c 2.a 3.b 4.c 5.a 6.b. 7.a.
4.	1. El gusanillo. 2. El cerebro. 3. Al santo. 4. Al huerto. 5. En el bolsillo. 6. En mis trece. 7. Trasquilado. 8. Con fuego. 9. El gato. 10. El santo.
5.	1.c 2.a 3.b 4.b 5.a 6.b 7.a 8.a 9.b 10.b.
6.	1. el dedo 2. pelos 3. el pato 4. en blanco 5. una lapa 6. trasera.
7.	1. alfiler 2. pinto 3. pintura 4. peras 5. dientes 6. mano 7. cero.
8.	1.c 2.b 3.c 4.b 5.b 6.a 7.c 8.c.
9.	1.d, he perdido el hilo 2.b, pisando huevos 3.f, quemarme las pestañas 4.c, pierde las riendas 5.a, romperme los cuernos 6.e, salir de Málaga y entrar en Malagón.

III parte (p 97 hasta p. 99)

1.	1.a 2.b 3.b 4.c 5.c 6.c 7.b 8.c.
2.	1.b 2.c 3.c 4.b 5.b 6.b 7.b.
3.	1. cero 2. verde 3. santo 4. manga 5. salero 6. tira los tejos 7. pachá 8. orejas 9. unta 10. humo.

Refranes (p.116 hasta p. 120)

1.	1.b 2.c 3.c 4.b 5.b.
2.	1.d 2.h 3.f 4.i 5.a 6.j 7.c 8.b 9.g 10.e.
3.	1. buena cara 2. corre 3. puchero 4. rabo 5. barbas 6. desnudar, vestir.
4.	1. Acepta los regalos sin mirar su valor; sé agradecido. 2. El aspecto externo no cambia la naturaleza de una persona. 3. Cada persona valora sus propias cosas. 4. El que está ocioso, hace acciones inútiles. 5. A todos nos ocurren las mismas cosas.
5.	1.b 2.b 3.a 4.c 5.a.
6.	1.a 2.b 3.b 4.c 5.b.
7.	1. a tus zapatos. 2. llama dinero. 3. y otros nacen estrellados. 4. tira al monte. 5. ajos come. 6. no entran moscas. 7. grandes caídas se dan. 8. encuentra hueso. 9. no caza ratones. 10. que ciento volando.
8.	1. Donde va la gente. 2. El que se pica. 3. Pardos. 4. Su San Martín. 5. El que a ella a otro lleva. 6. El que parte y reparte. 7. El que de verde se viste.

FRASES HECHAS

¿Hay alguna frase hecha en tu lengua parecida? Escríbela.

1. A otro perro con ese hueso ....
2. Abrir la mano ....
3. Acostarse con las gallinas ....
4. Agachar las orejas ....
5. Agarrar el toro por los cuernos ....
6. Agarrarse a un clavo ardiendo ....
7. Aguantar carros y carretas ....
8. Ahí le aprieta el zapato ....
9. Ahogarse en un vaso de agua ....
10. Al pie de la letra ....
11. Alzarse con el santo y la limosna ....
12. Andar con pies de plomo ....
13. Andarse por las ramas ....
14. Apretarse el cinturón ....
15. Aquí hay gato encerrado ....
16. Armarse hasta los dientes ....
17. Armarse la gorda ....
18. Arrimar el ascua a su sardina ....
19. Atar cabos ....
20. Atar la lengua a alguien ....
21. Atar los perros con longanizas ....
22. Bailar con la más fea ....
23. Bajar la cabeza ....
24. Bautismo de fuego ....
25. Beber la sangre ....
26. Besar el suelo ....
27. Buscar las cosquillas ....
28. Caer chuzos de punta ....
29. Caer en la cuenta ....
30. Caerse de un guindo ....
31. Caerse del burro ....
32. Caerse del nido ....
33. Caérsele la casa encima ....
34. Caérsele los anillos ....
35. Cajón de sastre ....
36. Cambiar de chaqueta ....
37. Cantarle las cuarenta ....
38. Cargarle el mochuelo ....
39. Cazar algo al vuelo ....
40. Chuparse el dedo ....
41. Como caído del cielo ....
42. Con el corazón en la mano ....
43. Con las manos en la masa ....
44. Cortar el bacalao ....

45. Cruzar el charco . . . .
46. Cruzársele los cables . . . .
47. Cuando las ranas críen pelo . . . .
48. Dar calabazas . . . .
49. Dar con la puerta en las narices . . . .
50. Dar gato por liebre . . . .
51. Dar jabón . . . .
52. Dar la lata . . . .
53. Darse con un canto en los dientes . . . .
54. Devolver la pelota . . . .
55. Dormirse en los laureles . . . .
56. Echar balones fuera . . . .
57. Echar el gancho . . . .
58. Echar el guante . . . .
59. Echar leña al fuego . . . .
60. Echar margaritas a los cerdos . . . .
61. Echar sapos y culebras (por la boca) . . . .
62. Echar un capote . . . .
63. Echar una mano . . . .
64. Echarse a los pies . . . .
65. El mundo es un pañuelo . . . .
66. Empezar la casa por el tejado . . . .
67. Encontrar la horma de su zapato . . . .
68. Enseñar los dientes . . . .
69. Estar al pie del cañón . . . .
70. Estar en el séptimo cielo . . . .
71. Estar en época de vacas gordas (flacas) . . . .
72. Estar en las nubes . . . .
73. Estar en su (propia) salsa . . . .
74. Estar entre dos fuegos . . . .
75. Estar entre la espada y la pared . . . .
76. Estar entre Pinto y Valdemoro . . . .
77. Estar la pelota en el tejado . . . .
78. Faltarle un tornillo . . . .
79. Haber cuatro gatos . . . .
80. Hablar por los codos . . . .
81. Hacer leña del árbol caído . . . .
82. Hacer puente . . . .
83. Hacerle la cama a alguien . . . .
84. Hacerle sombra a alguien . . . .
85. Hinchársele las narices . . . .
86. Ir al grano . . . .
87. Ir de la Ceca a la Meca . . . .
88. Ir por lana y volver trasquilado . . . .
89. Ir sobre ruedas . . . .
90. Ir viento en popa . . . .
91. Irse de la lengua . . . .

92. Irse por los cerros de Úbeda ....
93. Írsele el santo al cielo ....
94. Írsele la olla ....
95. Jugar con fuego ....
96. Lágrimas de cocodrilo (llorar, derramar) ....
97. Lavar el cerebro ....
98. Lavarse las manos ....
99. Levantar la liebre ....
100. Llegar y besar el santo ....
101. Llenarle la cabeza de pajaritos ....
102. Llevar al huerto ....
103. Llevarse el gato al agua ....
104. Llorar sobre la leche derramada ....
105. Los mismos perros con distintos collares ....
106. Luchar con uñas y dientes ....
107. Mandar al quinto pino ....
108. Mantenerse en sus trece ....
109. Matar dos pájaros de un tiro ....
110. Matar el gusanillo ....
111. Meterse a alguien en el bolsillo ....
112. Montar un numerito ....
113. Morder el anzuelo ....
114. Mucho ruido y pocas nueces ....
115. Nadar y guardar la ropa ....
116. No caber ni un alfiler ....
117. No pintar nada ....
118. No poder ver ni en pintura ....
119. No ser nada del otro mundo ....
120. No tener pelos en la lengua ....
121. Oler a cuerno quemado ....
122. Pagar el pato ....
123. Pasar al otro barrio ....
124. Pasar la noche en blanco ....
125. Pedirle peras al olmo ....
126. Pegarse como una lapa ....
127. Pegársele a alguien las sábanas ....
128. Perder el hilo ....
129. Perder las riendas ....
130. Pisar huevos ....
131. Poner el dedo en la llaga ....
132. Poner la mano en el fuego ....
133. Ponerle los dientes largos ....
134. Ponerse las botas ....
135. Ponerse morado ....
136. Por la puerta trasera (entrar) ....
137. Quemarse las pestañas ....
138. Romperse los cuernos ....

139. Sacar de sus casillas . . . .
140. Sacar las castañas del fuego . . . .
141. Sacarse un as de la manga . . . .
142. Sacudirse las moscas . . . .
143. Salir de Málaga y entrar en Malagón . . . .
144. Saltar chispas . . . .
145. Ser cabeza de turco . . . .
146. Ser de sangre azul (tener sangre azul) . . . .
147. Ser el perejil de todas las salsas . . . .
148. Ser la gallina de los huevos de oro . . . .
149. Ser la oveja negra . . . .
150. Ser un cero a la izquierda . . . .
151. Ser un viejo verde . . . .
152. Subírsele los humos a la cabeza . . . .
153. Tener buena percha . . . .
154. Tener cara dura . . . .
155. Tener el santo de cara / de espalda . . . .
156. Tener entre ceja y ceja a alguien . . . .
157. Tener la lengua larga . . . .
158. Tener la mosca detrás de la oreja . . . .
159. Tener la sartén por el mango . . . .
160. Tener las manos largas . . . .
161. Tener manga ancha . . . .
162. Tener muchas tablas . . . .
163. Tener salero . . . .
164. Tirar de la lengua . . . .
165. Tirar la casa por la ventana . . . .
166. Tirar la toalla . . . .
167. Tirar los tejos . . . .
168. Tomar el pelo . . . .
169. Tragar la tierra . . . .
170. Untar a alguien . . . .
171. Vender humo . . . .
172. Ver las estrellas . . . .
173. Verle las orejas al lobo . . . .
174. Vivir como un pachá . . . .
175. Vivir en el quinto pino . . . .

REFRANES

1. A caballo regalado no le mires el diente . . . .
2. A cada cerdo le llega su San Martín . . . .
3. A Dios rogando y con el mazo dando . . . .
4. A enemigo que huye, puente de plata . . . .
5. A falta de pan, buenas son tortas . . . .
6. A la cama no te irás sin saber una cosa más . . . .
7. A mal tiempo, buena cara . . . .
8. Ande yo caliente y ríase la gente . . . .
9. Aquí el que no corre, vuela . . . .
10. Aunque la mona se vista de seda, mona se queda . . . .
11. Cada maestrillo tiene su librillo . . . .
12. Cada ollero alaba su puchero . . . .
13. Cae en la cueva el que a otro lleva a ella . . . .
14. Casa con dos puertas es mala de guardar . . . .
15. Con pan y vino se anda el camino . . . .
16. Cría cuervos y te sacarán los ojos . . . .
17. Cuando el diablo no tiene que hacer, con el rabo mata moscas . . . .
. . . .
18. Cuando el gato no está, los ratones bailan . . . .
19. Cuando las barbas de tu vecino veas pelar pon las tuyas a remojar . . . . . .
. . . .
20. Dar el pie y tomarse la mano . . . .
21. De muy alto, grandes caídas se dan . . . .
22. De noche todos los gatos son pardos . . . .
23. Desafortunado en el juego, afortunado en amores . . . .
24. Desnudar a un santo para vestir a otro . . . .
25. Dinero llama dinero . . . .
26. ¿Dónde va Vicente? Donde va la gente . . . .
27. El que a buen árbol se arrima, buena sombra le cobija . . . .
28. El que parte y reparte, se queda con la mejor parte . . . .
29. El que se viste de verde, por guapo se tiene . . . .
30. En boca cerrada no entran moscas . . . .
31. Gato con guantes no caza ratones . . . .
32. La cabra siempre tira al monte . . . .
33. Mal de muchos, consuelo de tontos . . . .
34. Más vale pájaro en mano que ciento volando . . . .
35. No se hizo la miel para la boca del asno . . . .
36. Perro que anda encuentra hueso . . . .
37. Quien come carne, que roa el hueso . . . .

38. Quien come y canta, algún sentido le falta ....
39. Quien se pica, ajos come ....
40. Todos los caminos conducen a Roma ....
41. Unos nacen con estrella y otros nacen estrellados ....
42. Unos tienen la fama y otros cardan la lana ....
43. Un clavo saca otro clavo ....
44. Un solo golpe no derriba un roble ....
45. Zapatero, a tus zapatos ....

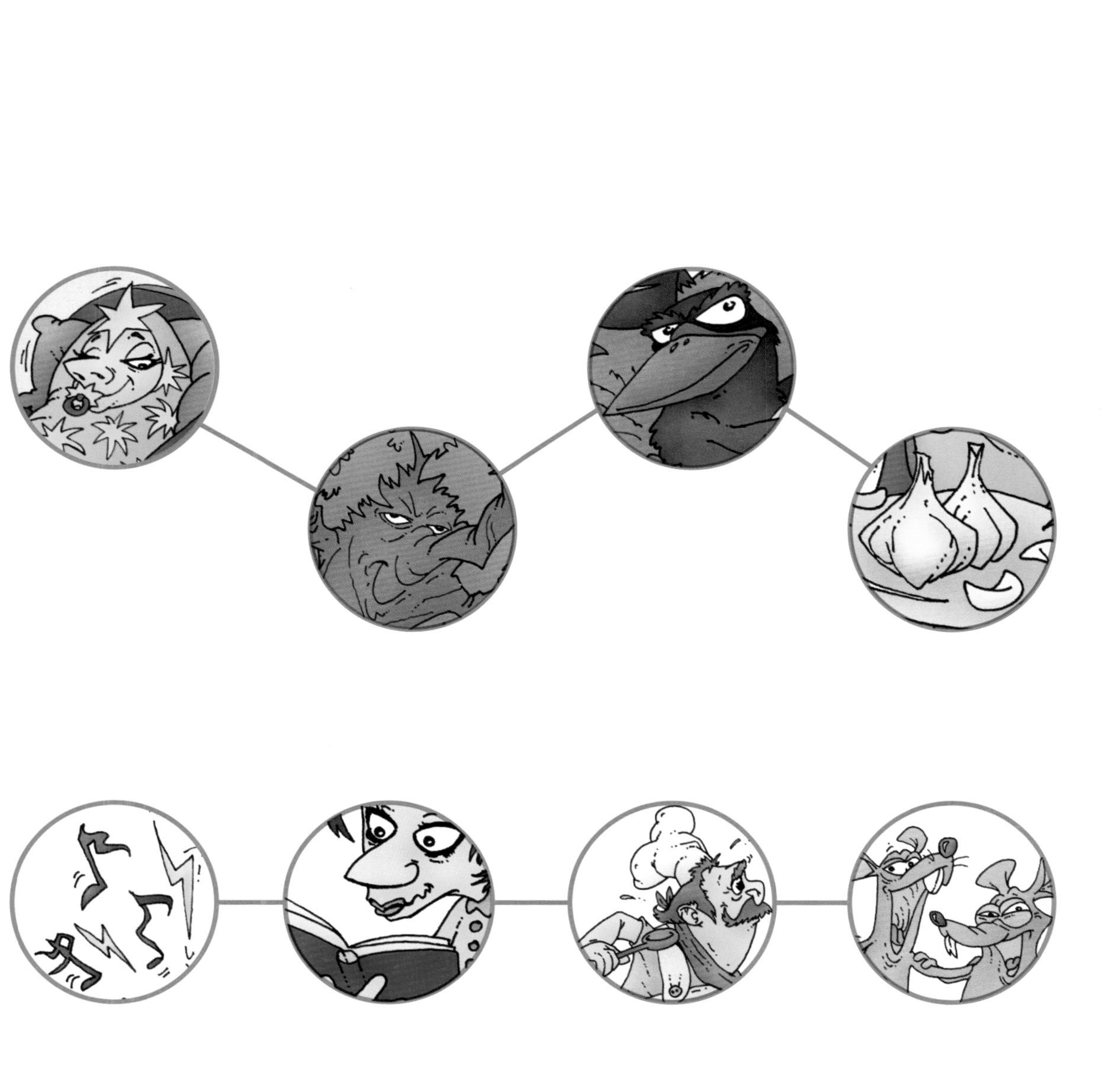